理論がわかる!
実践で弾ける!

挫折しないコード入門

自由現代社

挫折しないコード入門

CONTENTS

挫折しないコード理論編

●PART1：音名と音程……6
1.音名……6
2.音程……7
3.完全音程と増減音程……8
4.長音程と短音程……9
5.音程の略号……10
●PART2：7つのコード①……13
1.3和音のダイアトニック・コード……13
2.メジャー・コード……14
3.マイナー・コード……14
4.マイナー・フラットファイブ・コード……16
5.コードの転回……17
♪練習曲「HAPPY BIRTHDAY TO YOU」……17
●PART3：7つのコード②……18
1.4和音のダイアトニック・コード……18
2.メジャー・セブンス……19
3.マイナー・セブンス……19
4.セブンス……19
5.マイナー・セブン・フラットファイブ……20
♪練習曲「大きな古時計」……21
★度数に強くなろう……22
●PART4：キーのしくみ……23
1.スケールとキーの関係……23
2.3つのマイナー・スケール……24
♪練習曲「さくらさくら」……25
3.調号……26
4.♯系のキー……27
♪練習曲「涙そうそう」……28

5. ♭系のキー …… 29
♪練習曲「見上げてごらん夜の星を」 …… 30
6. キーの判定方法 …… 31
7. 転調と移調 …… 32
● PART5：コード進行 …… 34
1. ダイアトニック・コードの機能 …… 34
2. ドミナント・モーション …… 36
3. セカンダリー・ドミナント …… 37
4. よく使われるコード進行 …… 38
★五度圏のしくみ …… 40
● PART6：いろいろなコード …… 41
1. シックスとマイナー・シックス …… 41
2. マイナー・メジャー・セブンス …… 42
3. 等音程和音 …… 42
4. コードの特殊な表記 …… 44
5. テンション・コード …… 46
★繰り返し記号マスター講座 …… 50

挫折しないコード実践編

チェリー／スピッツ …… 54
崖の上のポニョ／藤岡藤巻と大橋のぞみ …… 56
負けないで／ZARD …… 58
3月9日／レミオロメン …… 60
三日月／絢香 …… 62
残酷な天使のテーゼ／アニメ「新世紀エヴァンゲリオン」より …… 64
となりのトトロ／映画「となりのトトロ」より …… 66
涙そうそう／夏川りみ …… 68
TSUNAMI／サザンオールスターズ …… 70
YELL／いきものがかかり …… 72
キセキ／GReeeeN …… 75
カイト／嵐 …… 78
Lemon／米津玄師 …… 81
明け星／LiSA …… 84
恋／星野 源 …… 88
★ダイアトニック・コード一覧表 …… 91
★ギター・コード一覧表 …… 92
★ピアノ・コード一覧表 …… 94

挫折しない本書の使い方

本書は、楽器演奏や作曲などにおいて必要とされるコードの知識を、これから初めて学ぶ方や、勉強し始めたものの難しくてどうもよくわからない、とお悩みの方に向け、効率良く習得できるように構成した入門書です。全体は大きく「理論編」「実践編」の2部構成になっています。

■理論編

初めて学ぶ方にはやや難しい内容も含まれていますが、最初から全部を理解する必要はありません。自分のペースに合わせ、必要なポイントだけ押さえながらステップを進めてください。下記に示したアイコンの付いた箇所は重要項目です。そこを中心に読み進めるだけで、基本が押さえられます。また、随所にピアノとギターの図解を示しているので、楽器のある方は実際に音を鳴らしながら読み進めていくと、習得も速いでしょう。

…ステップを進めるために、必ずマスターしておくべき項目に付けられています。

…丸暗記しておくと効率良く次の項目に進める重要ポイントを記しています。

■実践編

人気アーティストや誰でも知っている有名曲のコード譜を数多く掲載しています。「理論編」で覚えた知識の確認に役立てたり、好きな曲の弾き語りをして演奏を楽しみましょう。

ピアノの鍵盤図は●がついている所を押さえましょう。↑のついている場所は押さえても押さえなくてもOKです。

●知りたいとこだけINDEX

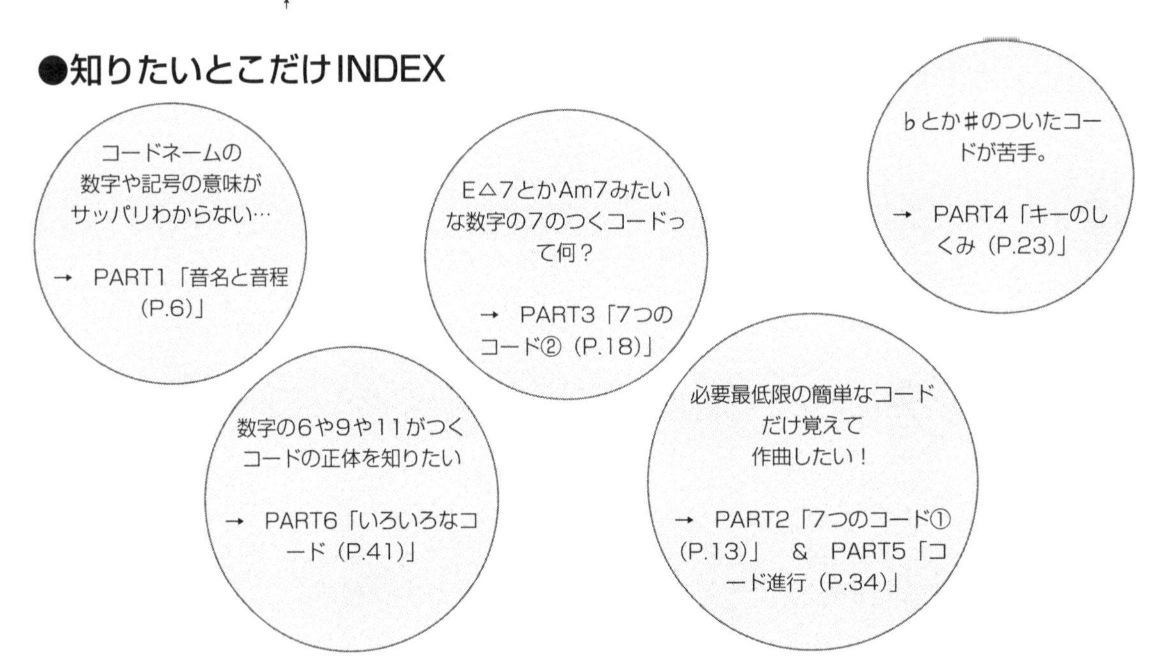

挫折しないコード理論編

音名と音程

7つのアルファベットと7つの数字

楽譜集やバンドスコアに記されているコードネーム。そこにはいろいろな種類の英語や数字の記号が並んでいて、読み方も分からず「コードってややこしそう…」と感じている人も多いはず。まずは、コードネームの骨格となるこれらの記号から、順序だてて覚えていこう。

音名

必読

ドレミファソラシを英語で読んでみよう

幹音

音名とは文字通り“音に付けられた名前”のこと。耳馴染みのある「ドレミファソラシ」は、実はイタリア語だってことは知っていたかな？　ピアノの白鍵にあたるこの7つの音を「幹音（かんおん）」といい、コードの世界ではこれを英語音名の「C D E F G A B」で呼ぶ。まずは音の名前をこの7つのアルファベットに置き換えて呼ぶことに馴れよう。

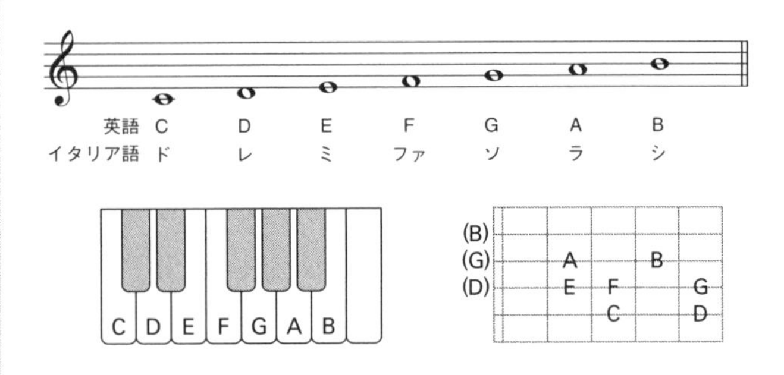

派生音

7つの幹音に♯（シャープ）または♭（フラット）を付けて、C♯（シーシャープ）、D♭（ディーフラット）のように表す音がある。これは、ピアノの黒鍵にあたる5つの音で「派生音（はせいおん）」という。♯は元の音を半音上げる、♭は元の音を半音下げることを表す記号だ（半音という言葉については次のページで確認しよう）。

鍵盤やギターの図を見て分かるように、派生音は1つの音に対して呼び方が2通りある。どちらで呼ぶかは、後で説明するキーによって変わる。

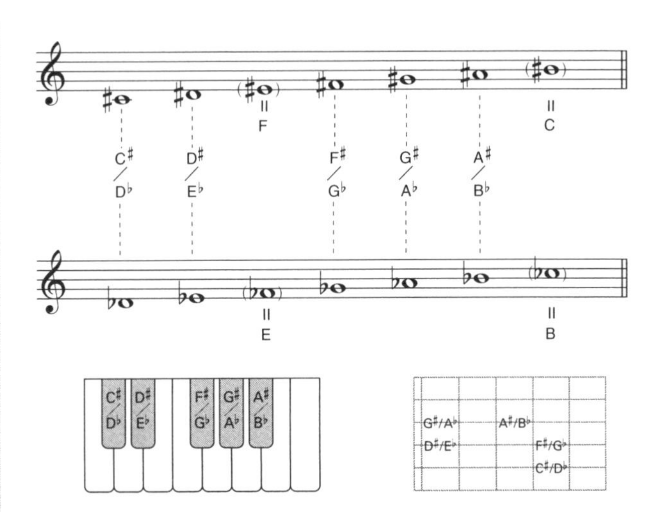

音程

1から7までの数字で数えてみよう

半音と全音

「音程」とは2つの音の距離のこと。ピアノの鍵盤の白黒にかかわらず隣合う音同士、またはギターやベースの隣合うフレットの音同士の間隔を「半音」といい、半音2つ分、つまり鍵盤やフレットを1つ飛ばした音同士の間隔を「全音」という。

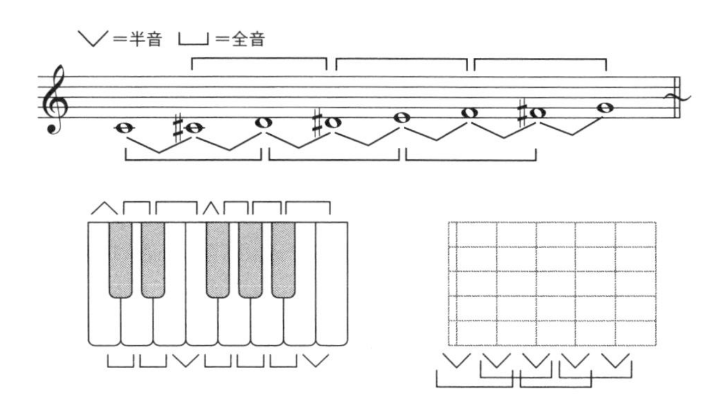

Cメジャー・スケール

幹音だけを並べた「CDEFGAB」つまり「ドレミファソラシ」の全音・半音の配列は右のようになっている。また、この並びを「Cメジャー・スケール」という。このあともたくさん出てくるので、今のうちに覚えておこう。

度数

半音・全音という数え方とは別に、コード上で音程を数えるときは、1～7の数字に置き換えた「度数」という単位を使う。数え始めの音を1度とし、8度で1度と同じ音名に戻る。たとえばCを1度とするとDは2度、Eは3度…8度（1度）で高さの違うCになる。

しかし実際に度数は半音単位での増減を含むため、もう少し細かい名称の区別がある。幹音「CDEFGAB」のCを1度とした場合の度数は、次の名称で呼ばれる。

次のページからこのしくみをもう少し詳しく見ていくが、ここでは次の2つのポイントを丸暗記しよう！

丸覚え

1、4、5度には「完全」が付く！
2、3、6、7度には「長」が付く！

完全音程と増減音程

完全に響き合うから完全音程、増えたり減ったりするから増減音程

ルート

では、1、4、5度の完全音程から観察してみよう。まず、完全1度。これはコード上では「ルート音(Root)」と呼ばれる一番大事な音。どの音をルート音にして(つまり完全1度として数えて)、その上に何度の音を積み上げるかによって、コードの種類が決まる。

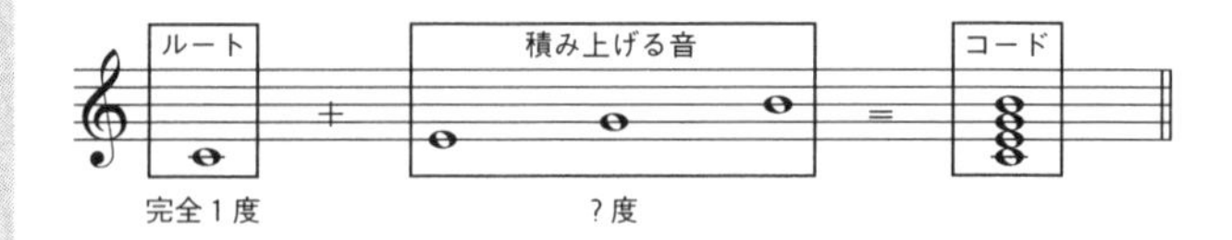

オクターブ

ルート音から8度数えると、実質上の高さは異なるが再び同じルート音名に戻る。「C D E F G A B C」の低いCから高いCまでの距離を「オクターブ」という。これは他の音同士でも変わらず、Dからその上のD、Eからその上のEも同じオクターブだ。音名が同じなので分かりやすいね。

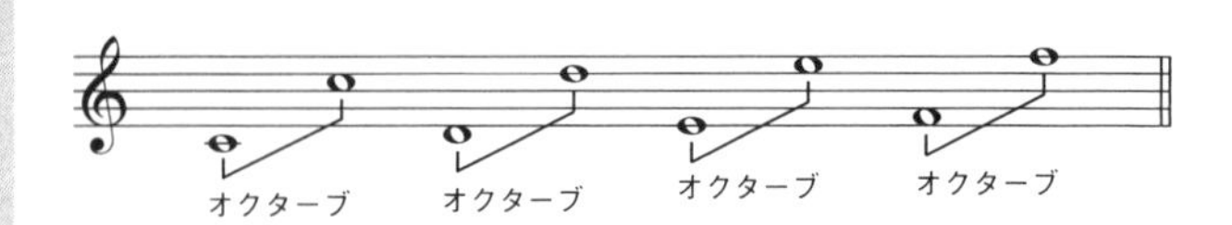

増音程と減音程

完全4度と完全5度についてはちょっと注意が必要だ。Cから完全4度の音はF、完全5度はGの音だけど、その間のF♯＝G♭の音に注目してほしい。Cから見てこの音程はまた特別な呼び方になり、F♯は「増4度」、G♭は「減5度」という。

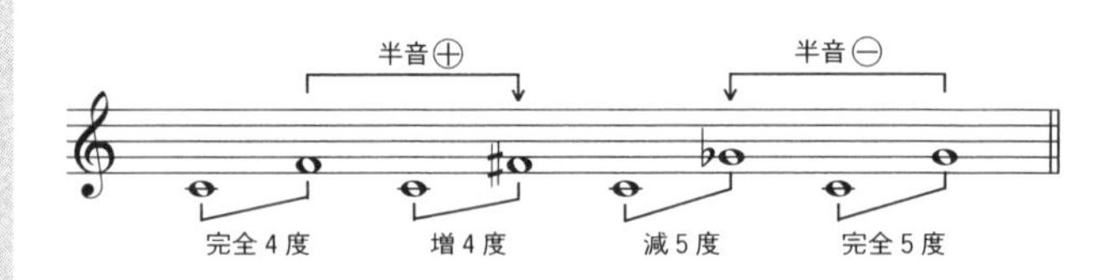

ややこしいね。ここでまた次のことを覚えよう！

丸覚え

完全音程が半音増えると「増」が付く！
完全音程が半音減ると「減」が付く！

単純に増えるから“増”、減るから“減”と機械的に覚えてしまえばOK。しかし、増4度と減5度は結果的には同音なので、じゃあどっちで呼べばいいの？ということになるが、音程はあくまで“元の音から見て何度か”の解釈にしたがえばよい。完全4度を基準にして半音上なら増4度、完全5度を基準にしてその半音下なら減5度、ということ。

まあ、あまり難しく考えなくても大丈夫。ここでは、コードでは「減5度」のほうが使われることが多い、ということをどこかアタマの片隅に入れておこう。

長音程と短音程

距離が長くなれば長音程、短くなれば短音程

長音程と短音程

　では残りの2、3、6、7度の長音程について観察してみよう。これはけっこうスッキリ理解できるはず。長○度の半音下はすべて「短○度」になる。言い換えれば、「短○度」の半音上は「長○度」ということ。簡単だよね。

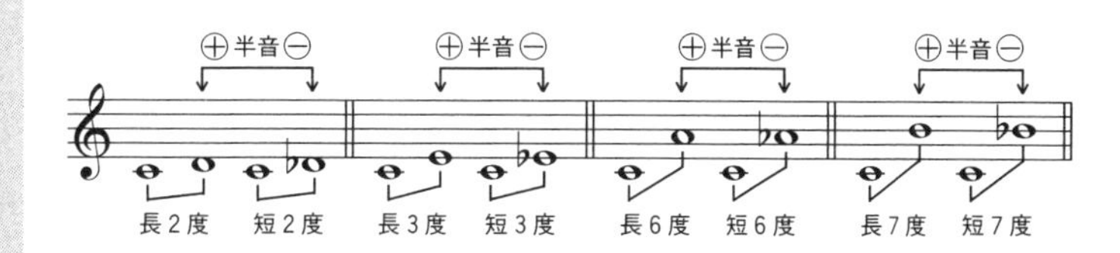

丸覚え

長音程が半音減ると「短」が付く！
短音程が半音増えると「長」が付く！

　ここで「アレ？　長音程が半音増えたり、短音程が半音減ると何音程になるの？」と勘のよい人はすぐに気付いたかもしれない。では、新しく暗記しよう！

丸覚え

長音程が半音増えると「増」が付く！
短音程が半音減ると「減」が付く！

　そう、増減音程は長短音程にも摘要されるんだ。たとえば、長3度の半音上は増3度（結果として完全4度と同じ）で、短7度の半音下は減7度（結果として長6度と同じ）になるということ。

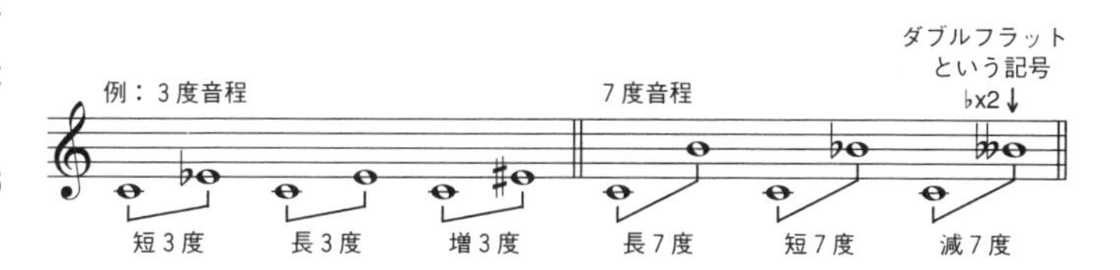

　なんだかややこしくなってきた…という人は右の図を見てみよう。これは、いろんな音楽理論書にもたいてい載っている有名な一覧図なので、見たことがある人もいるかもしれない。

　この図を最初からいきなり見せられても困ってしまうけれど、今までの丸覚えポイントを1つずつ確認していけば理解できるよね。また、増音程がさらに半音増えると「重増」、減音程がさらに半音減ると「重減」なんていう言い方をするけれど、ここまでは覚えなくてOK。

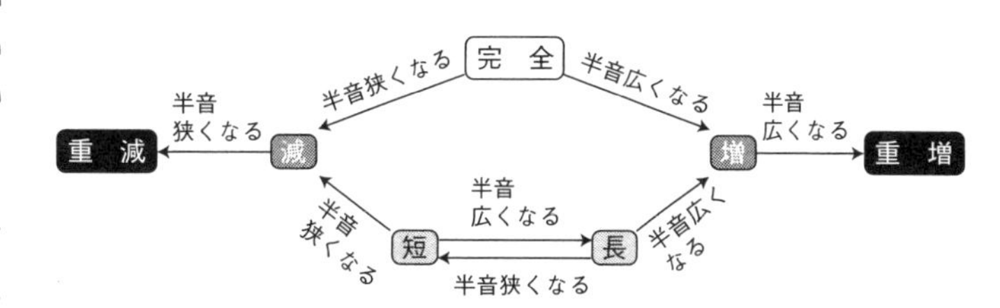

音程の略号

音程を記号で表す！?

ここまでの内容は理解できたかな？　次のPART2からは、いよいよコードを覚えていく。その前に、略記号を使った度数の表し方を確認しておこう。しかし、一気に覚えるのはさすがに大変なので、今はなんとなく頭に入れておくだけでも大丈夫。この後で分からなかったらここに戻って確認しよう。

2度音程

ルートと隣接するためコードではオクターブ上の9度「♭9・9・♯9」が使われる。

3度音程

短3度は「m3」、長3度は「△3」が使われる。

4度音程

完全4度は「4」、またオクターブ上の11度「11・♯11」が使われる。
※増4度は減5度が使われる。

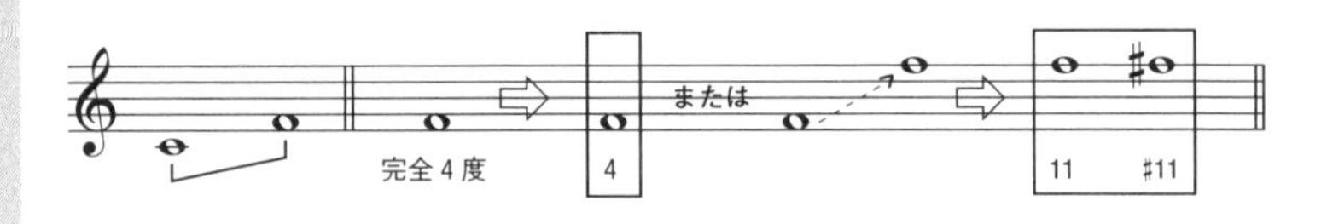

5度音程

完全5度とその増減「♭5・5・♯5」が使われる。

6度音程

長6度は「6」、またオクターブ上の13度「♭13・13」が使われる。
※短6度は増5度が使われる。

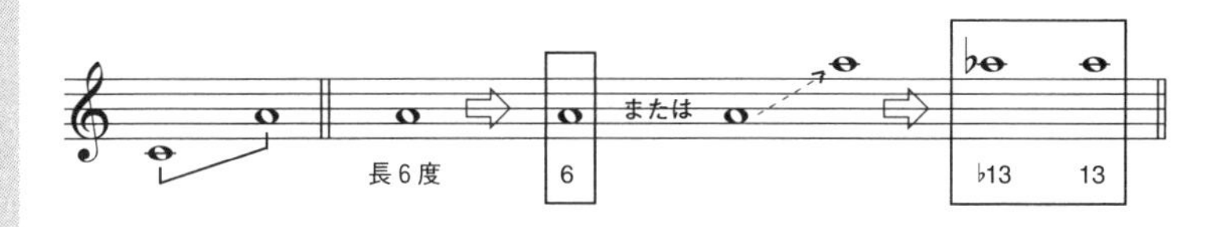

7度音程

短7度は「m7」、長7度は「△7」が使われる。

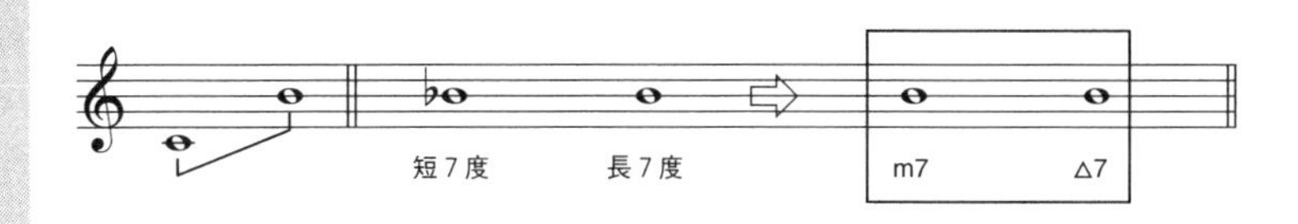

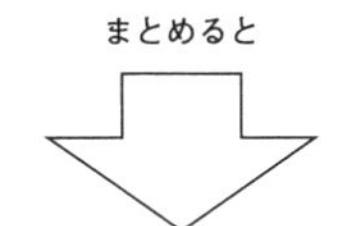

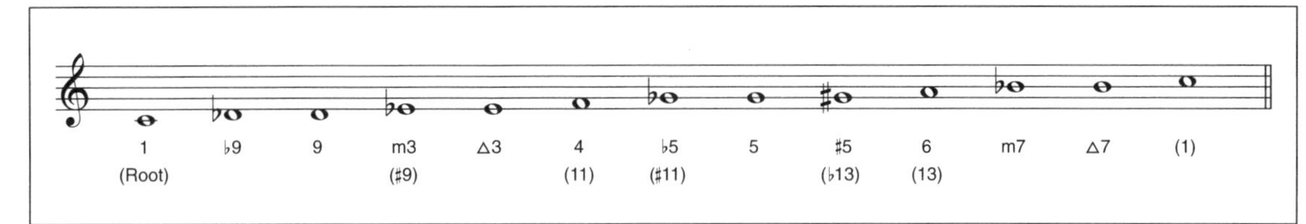

2・4・6度音程には9・11・13という数字が出てきたけれど、これはテンションノートといってオクターブ以上の度数。詳しくは「PART6：5. テンション・コード」でじっくり説明するので、今は気にしないでOK。

以上を楽器上で表すと次のようになる。

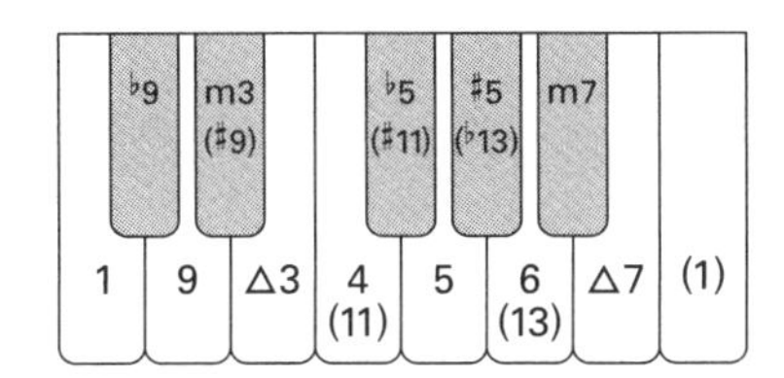

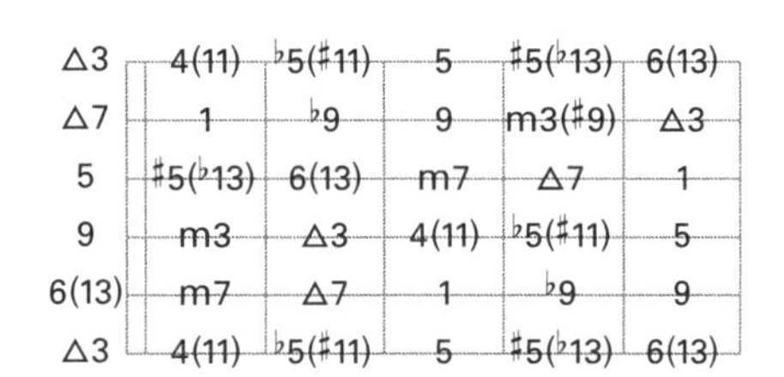

✎ TEST

[問題１] 五線譜の音を英語音名で答えてみよう！

[問題2] 2つの音同士は全音・半音どっち？

[問題3] Cからの度数を答えてみよう！

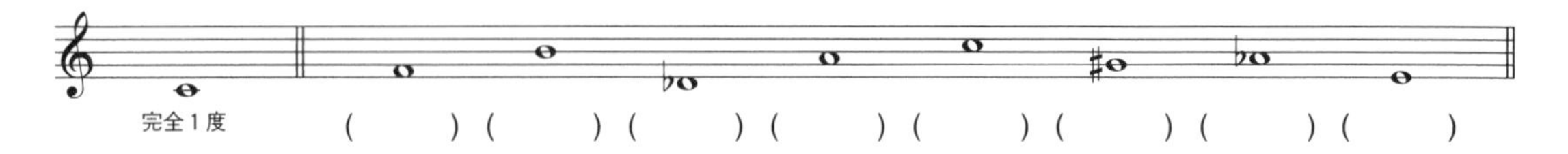

[問題4] 増音程・長音程、どっち？

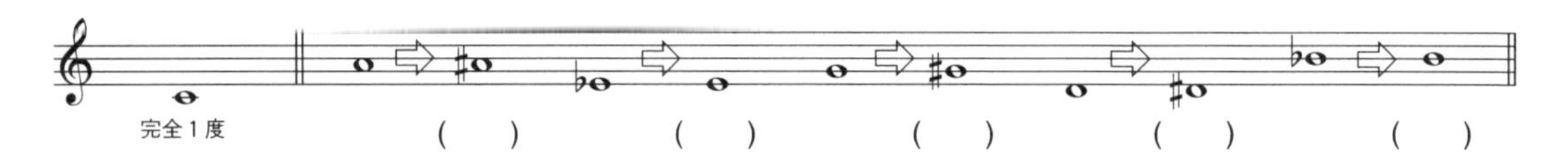

[問題5] 減音程・短音程、どっち？

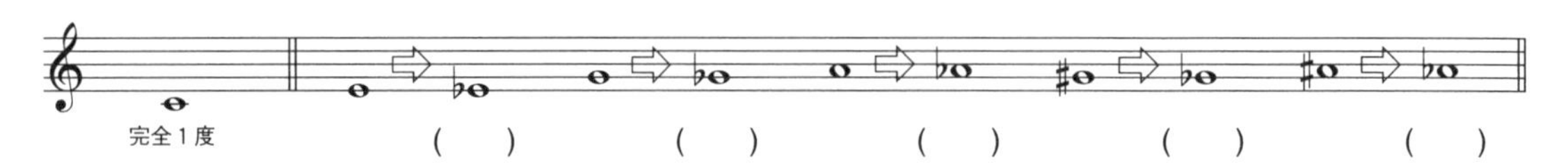

答え

[問題1]：G—E—D♭—F♯—A—C—B♭—G♯—C—E♭

[問題2]：全音—全音—半音—全音—半音—全音

[問題3]：完全4度—長7度—短2度—長6度—完全8度—増5度—短6度—長3度

[問題4]：増—長—増—増—長

[問題5]：短—減—短—減—短

7つのコード①

ダイアトニック・コードの世界 ～3和音編～

ここからは、いよいよコードの種類を紹介していこう。まずはダイアトニック・コードという、コード理論の一番基本となる7つのコードを覚えよう。いきなり7つも!?と焦らなくて大丈夫。ここで学ぶことは基本中の基本なので、系統だてて覚えていけば必ず身に付く。楽器がある人は音を鳴らしながら楽しく学んでいこう。

3和音のダイアトニック・コード

必読

7つの音だけでできる魔法のコード

ダイアトニック・コードとは、スケール上の音だけでできた、そのスケール内で自由に使えるコード。この説明だけでは何がなにやら…なので、P.7で出てきたCメジャー・スケール（ドレミファソラシ）を再び見てみよう。

これに、スケール上の音を3度重ねで3音ずつ（ドミソ、レファラ、ミソシといった具合に）積み上げると、7つの3和音ができ上がる。

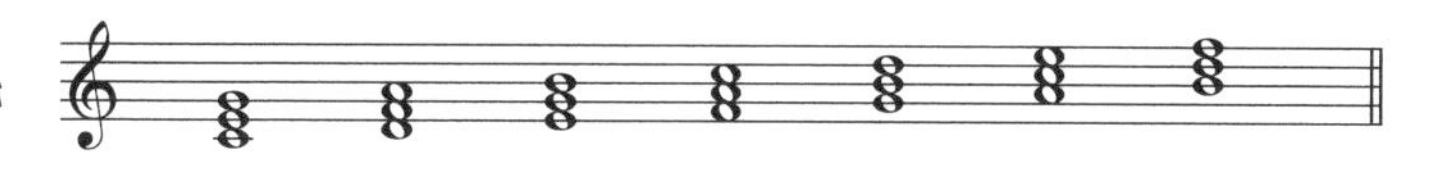

3和音はコードの一番シンプルな形で「トライアド」ともいう。この7つの3和音にコードネームを付けると次のようになる。

次のページから、これらのコードをグループに分けて見ていこう。

では、分かりやすくするためにコードネームの種類で分類してみよう。最後のBm(♭5)だけちょっと仲間はずれだけれど、アルファベットだけのコードと「m」が付くコードが3つずつできたね。

それぞれのしくみを見ていこう。

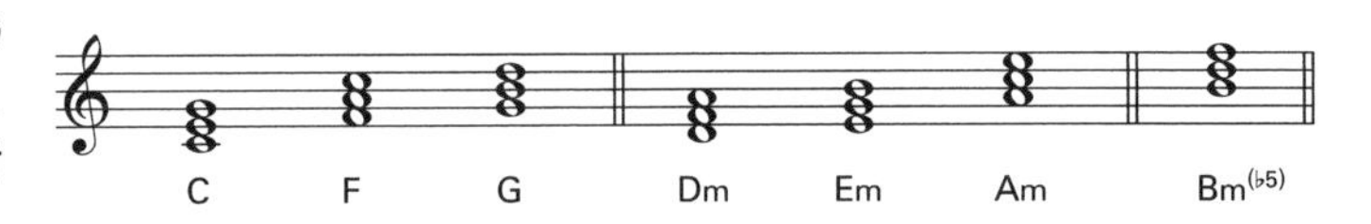

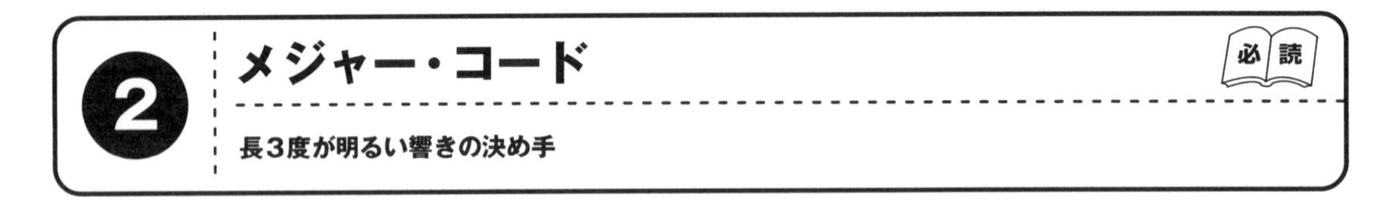

2 メジャー・コード

必読

長3度が明るい響きの決め手

C・F・Gは、アルファベット1文字だけのとてもシンプルなコードネーム。これらは「メジャー・コード」といって、音程構成は次のようになる。

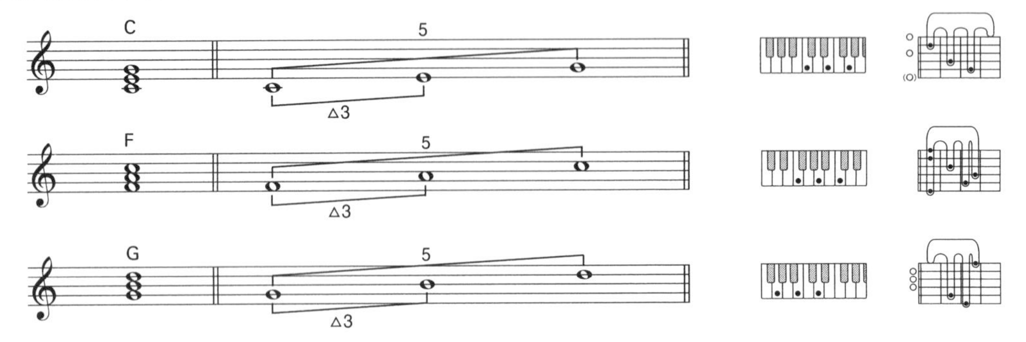

このように「ルート＋長3度＋完全5度」でできていて、ルート音がそのままコードネームになっている。読み方は「C」と書いて「シー」と読んでも「シー・メジャー」と丁寧に読んでもどちらでもよい。楽器がある人は実際に音を出して、メジャー・コードのそのカラっと明るい響きを確認してみよう。この特徴は、次に紹介するマイナー・コードと比較すると分かるのだけど、長3度が決め手になっているのだ。

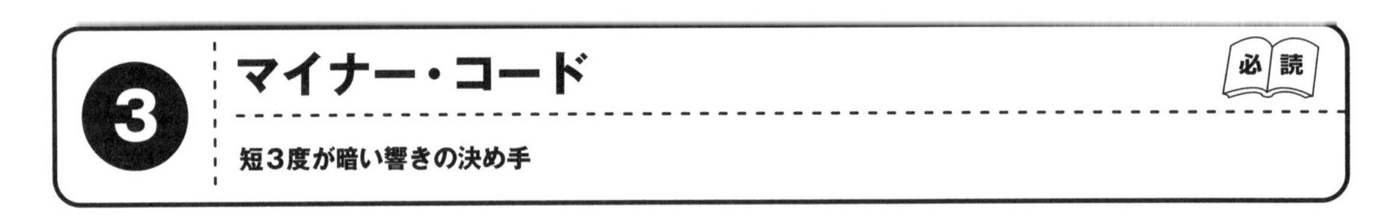

3 マイナー・コード

必読

短3度が暗い響きの決め手

Dm・Em・Amは「ルート音＋m」というコードネームで、これらは「マイナー・コード」という。音程構成は「ルート＋短3度＋完全5度」で、コードネームの小文字のmは短3度＝minor 3rdを表しているんだ。

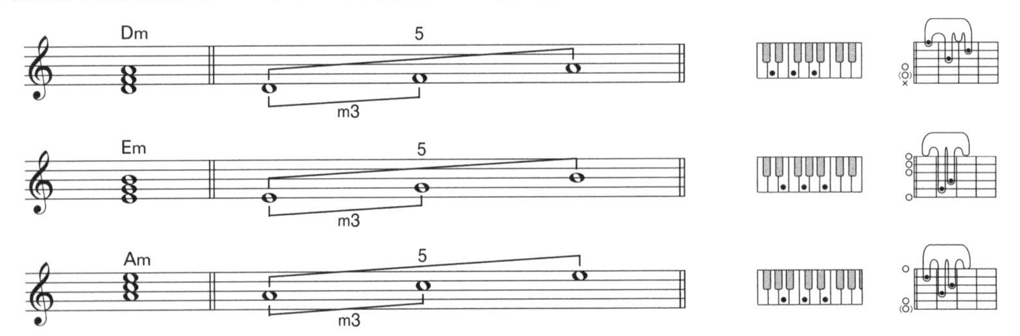

メジャー・コードの長3度が半音下の短3度に変わっただけで、ずいぶん響きの印象が変わり、暗く悲しいような雰囲気がマイナー・コードの特徴。ルートが同じ「C」と「Cm」で弾き比べてみよう。

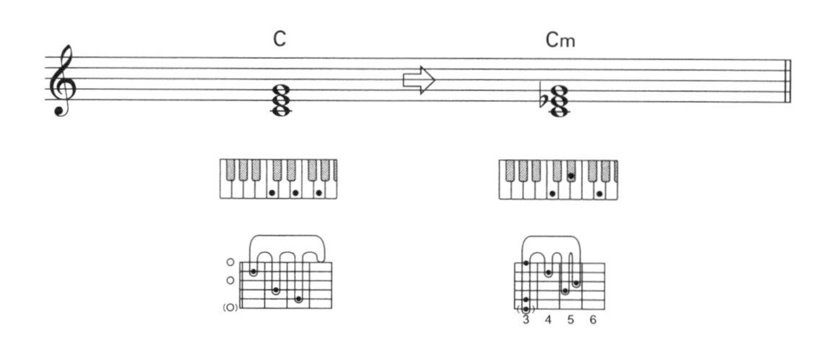

丸覚え

メジャー・コードの長3度を短3度にするとマイナー・コードになる！
マイナー・コードの短3度を長3度にするとメジャー・コードになる！

このポイントを今覚えたメジャーとマイナーの3つずつのコードに応用すれば、次のようなコードも一気に覚えられてしまうね。

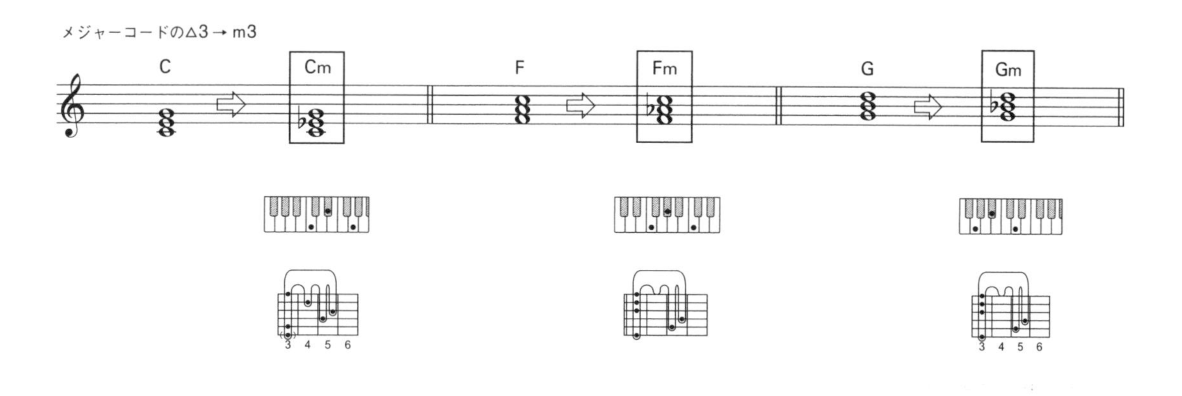

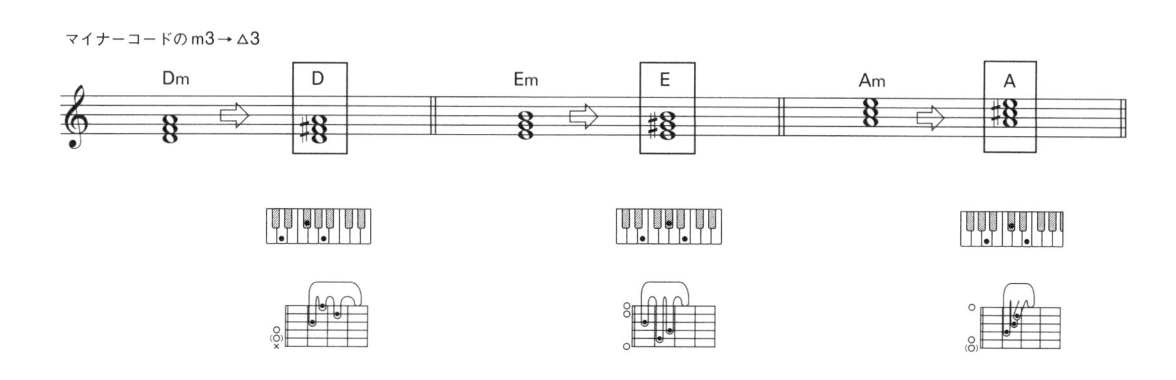

マイナー・フラットファイブ・コード

メジャー・コードの3度と5度を両方下げたらこんなに不安な響きに…

最後、1つだけ仲間外れになってしまったBm(♭5)は「マイナー・フラットファイブ・コード」で、これはちょっと特殊なコードだ。コードネーム最後の(♭5)は減5度のことで、構成音は「ルート＋短3度＋減5度」になる。

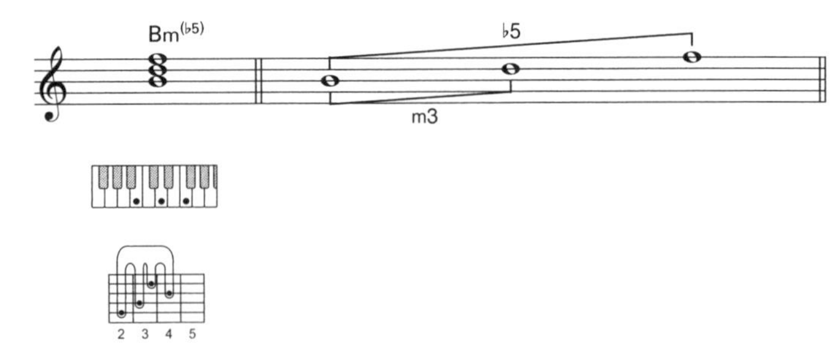

短3度を表す「m」が付いているのでマイナー・コードを表していて、さらに5度を♭させる(半音下げる)、という解釈になる。

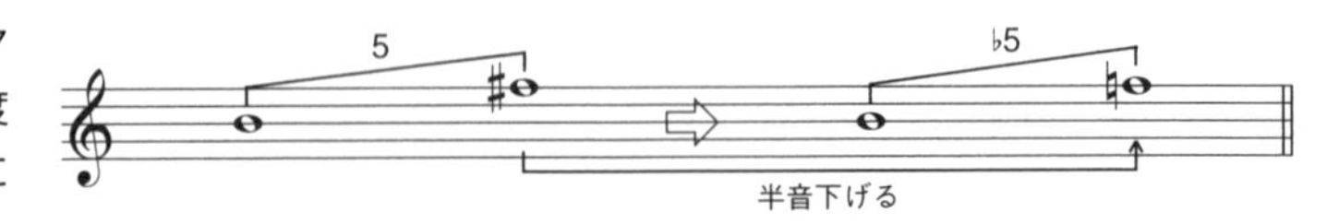

♭5と♯5

ここで覚えてほしいのは、コードネームの「♭5＝フラットファイブ」という表記。これは完全5度を半音下の減5度にするという意味で、いろいろなコードに追加されて登場する。「♯5＝シャープファイブ」の場合も同じで、コードネームに(♯5)が付いていたら完全5度を増5度にするという意味になる。例を見てみよう。

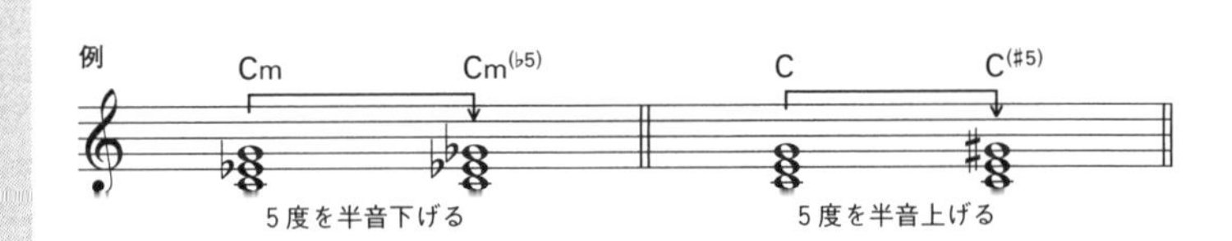

丸覚え

コードの最後に(♭5)が付いたら5度を半音下げる！
コードの最後に(♯5)が付いたら5度を半音上げる！

※「m(♭5)」は「ディミニッシュ・コード」という呼び方もあるが、3和音ではあまり使われない(詳しくはP.43参照)。「♯5」がメジャー・トライアドに追加される場合は「オーギュメント・コード」という呼び方もする(詳しくはP.42参照)。また、5度の増減を表す「♯」を「＋」、「♭」を「－」と表記することもある。

5 コードの転回

すべては“弾きやすく”するために

基本形と転回形

さて、7つのダイアトニック・コードを覚えたので、せっかくだから実践で曲を弾いてみよう。

…とその前に、楽器を使って演奏するときのポイントとして、コツのようなものを覚えておこう。

コードはルートを1番下においたコードの形を「基本形」といい、ルートや3度の音をオクターブ上げた形を「転回形」という。

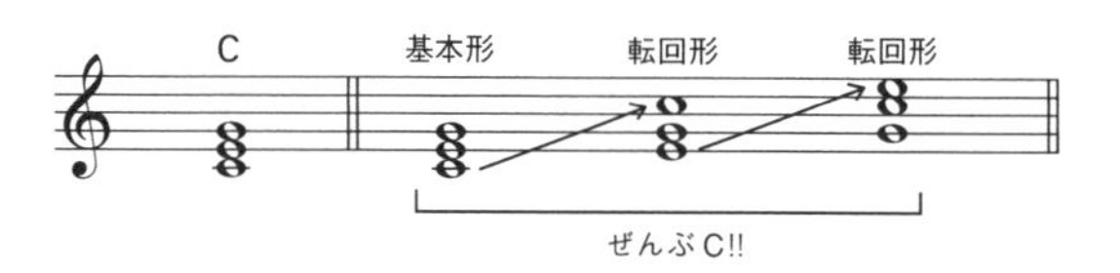

実際に楽器でコード演奏をするときは、コードの流れを踏まえて転回形を使って押さえたほうが弾きやすく、コードの流れもきれいになる（ギターの場合は楽器の構造上、もとから転回形をとるフォームが多い）。

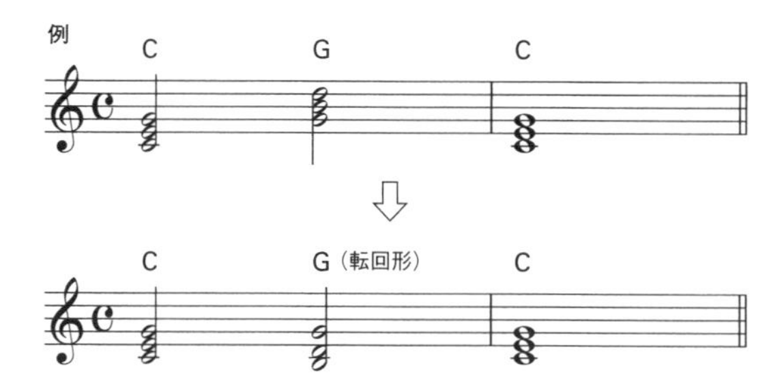

次の「HAPPY BIRTHDAY TO YOU」のメロディにコードネームを振った楽譜（こういう形の楽譜を“Cメロ譜”という）を見てみよう。このコードネームを見て、実際にピアノかギターで伴奏のコードを鳴らしてもらいたいのだけど、鍵盤楽器には鍵盤楽器の、弦楽器には弦楽器の弾きやすいポジションというのがあるので、各自ダイヤグラムを参考にして演奏にチャレンジしょう。

練習曲　HAPPY BIRTHDAY TO YOU

作詞／作曲：ヒル

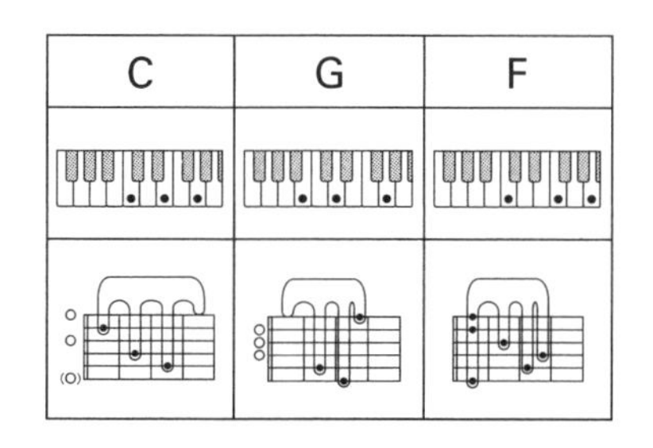

7つのコード②

ダイアトニック・コードの世界 〜4和音編〜

ここまでに見てきた3和音（トライアド）は、コードの一番シンプルな形。この3和音にもう1音重ねるとどんなコードになるだろう？　ダイアトニック・コードを4和音にして見てみよう。

4和音のダイアトニック・コード

1音足したらお洒落に変身！

3和音のダイアトニック・コードにもう1音追加して、スケール上の音を（ドミソシ、レファラド、ミソシレといった具合に）積み上げると、7つの4和音ができ上がる。

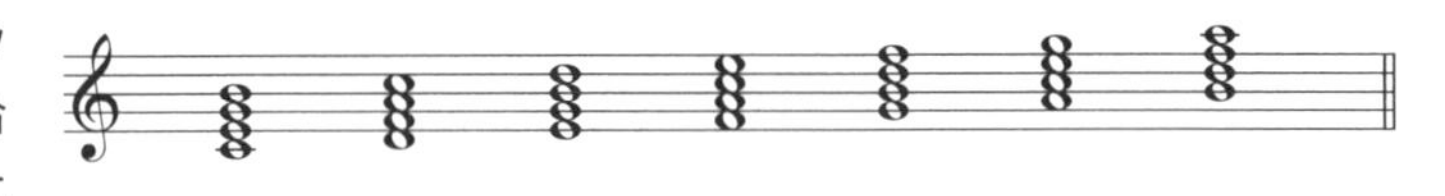

これらのコードネームを見てみよう。

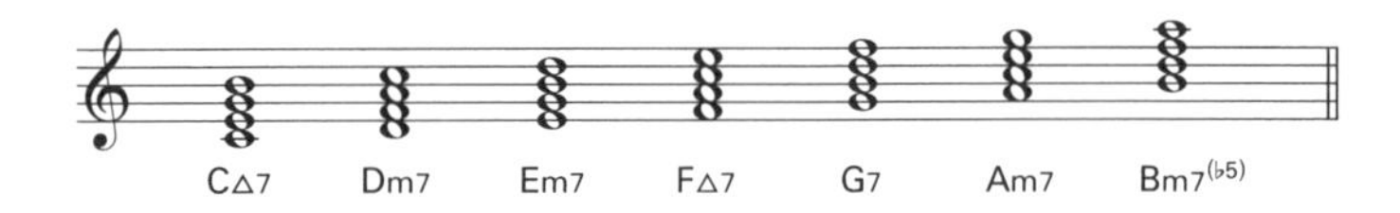

上記を3和音のときと同じようにコードネームにしたがって分類してみよう。

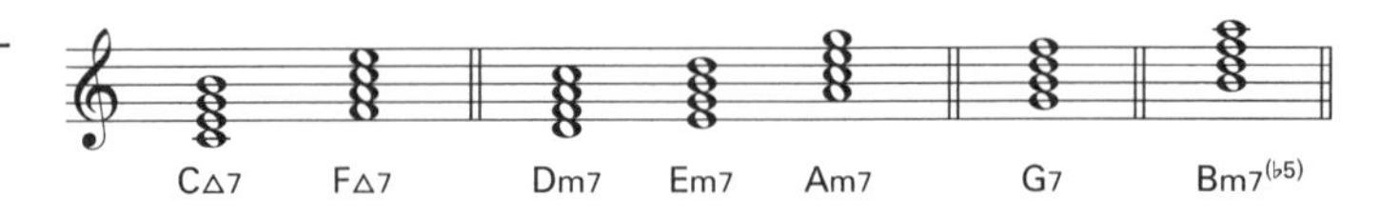

3和音のときとは分類が変わり「△7」「m7」「7」「m7(♭5)」と、すべて数字の7が付いたコードができ上がった。これはどれも「7度」の音が追加されたコードになる。いきなり種類が増えたので混乱してしまいそうだけど、次のページからまた1つずつしくみを見ていこう。

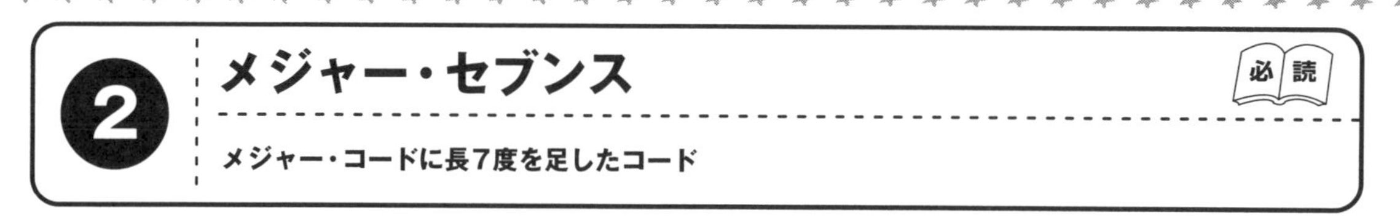

2 メジャー・セブンス

必読

メジャー・コードに長7度を足したコード

C△7・F△7は「メジャー・セブンス」と読み、コードネームの「△7」は長7度を意味している。C△7なら「C（Cのメジャー・コード）＋△7（B音）」。この長7度を表す表記は他に「M7」や「maj7」などがある。どれもマイナー・コードの「m」と混同しないように気を付けよう。

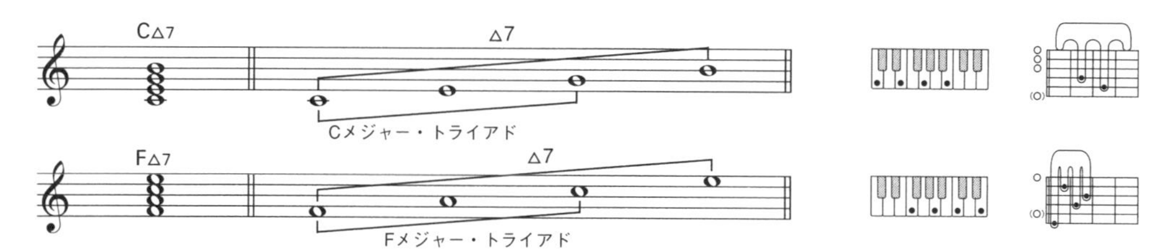

3 マイナー・セブンス

必読

マイナー・コードに短7度を足したコード

Dm7・Em7・Am7は「マイナー・セブンス」と読み、こちらはちょっとややこしいのだけどコードネームの「m」は短3度、「7」は短7度を表している。つまりDm7なら「Dm（Dマイナー・コード）＋短7度（C音）」ということ。先程覚えたメジャー・セブンスの△7が長7度を表すのに対し、短7度はただの7になるのがポイント。m7が短7度ではないので要注意！

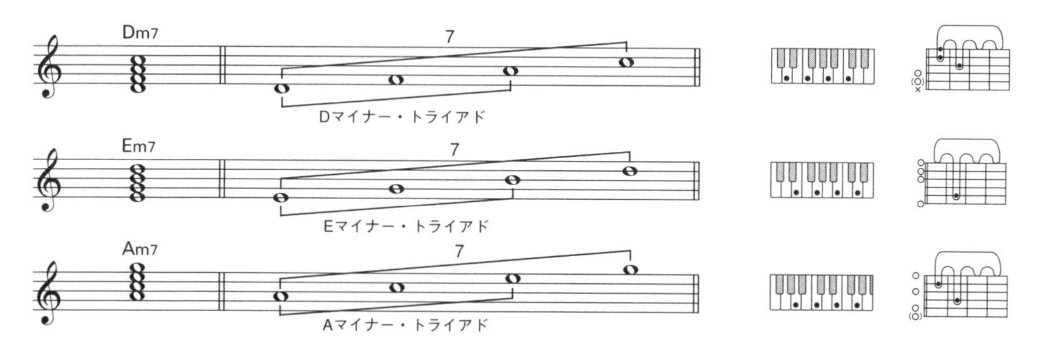

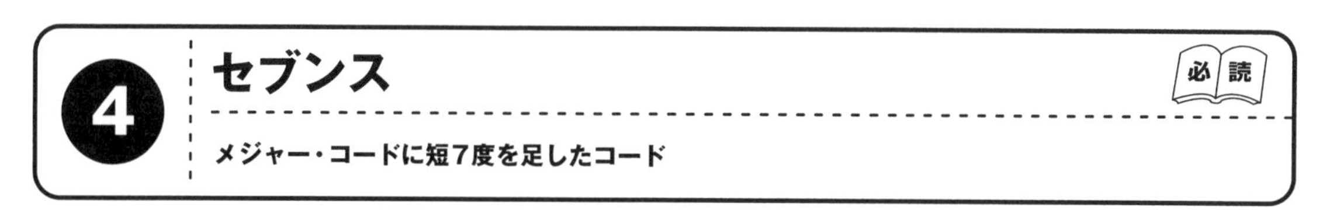

4 セブンス

必読

メジャー・コードに短7度を足したコード

次はG7。3和音ではCやFと同じメジャー・コードだったけれど、4和音になったら仲間からはじかれてしまったね。これはセブンス・コードといって構成音はメジャー・コード＋7（短7度）。コードネームを見て構成音がすぐに分かった人は勘がするどい！

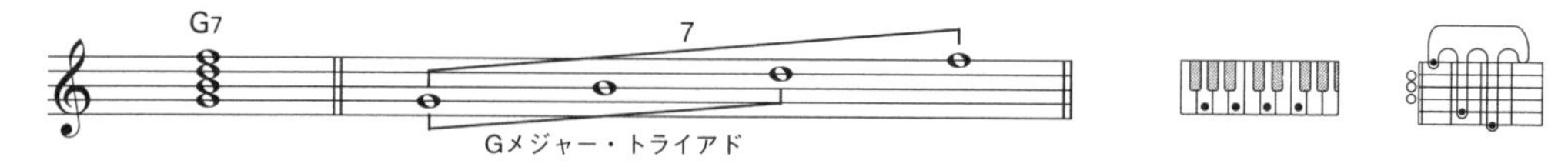

さて、このセブンス・コード。構成音の並びに他のコードとは違った特徴がある。長3度と短7度の音が減5度（増4度）になり、これは転回しても、2音間の度数が変わらない。この減5度（増4度）音程の2音を「トライトーン」といい、これを持っていることでセブンス・コードはある秘密を握っているのだ。この秘密はあとで説明するのでお楽しみに。

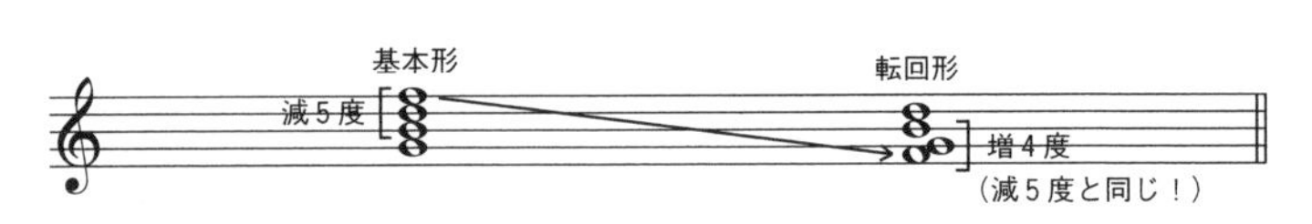

5 マイナー・セブン・フラットファイブ

マイナー・セブンスの5度を半音下げたコード

4和音ダイアトニック・コードの最後、Bm7(♭5)は3和音で説明した♭5＝減5度が付いている。ここまでの説明を理解していれば、見た感じに複雑なこのコードネームも構成音が分かるはず。m+7+♭5は「短3度+短7度+減5度」となる。前ページで覚えたマイナー・セブンスの5度を半音下げるだけ、と言ったほうが分かりやすいね。

このコードは、まれに「ø」という表記が使われ「ハーフ・ディミニッシュ」と呼ばれることがある。何かの楽譜で見かけたときのために、頭の片隅に入れておこう。

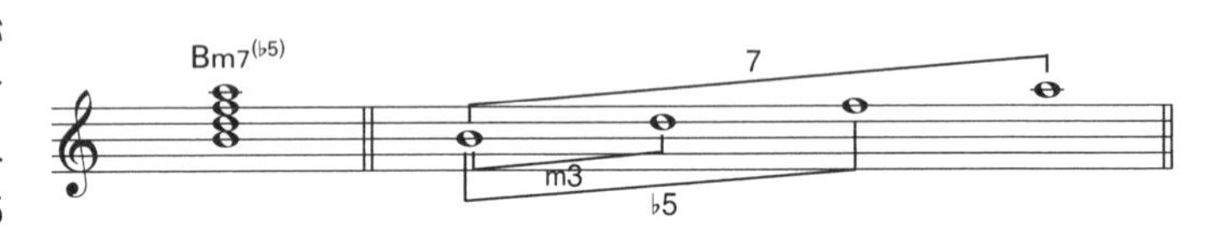

さて、ここまでで4和音のダイアトニック・コードは終わり。トライアドに7度の長短の音が加わったことによって、響きがお洒落になったり、広がりが出たのが分かると思う。しかし、ここでちょっと混乱してきた人がいるかもしれないので、ポイントをまとめておこう。

丸覚え

「△7」は長7度を表す！
「7」は短7度を表す！
「m7」の「m」は短3度を表す！

もう少し補足するならコードネーム上で△（メジャー）は7度にかかり、m（マイナー）は3度にかかる表記ということ。このあと覚えていくコードにも関わってくるので、今のうちにしっかり身に付けておこう。

練習曲 大きな古時計

訳詞：保富庚午／作曲：Henry Clay Work

C	G7	F	Am	Dm7	G	Em

度数に強くなろう

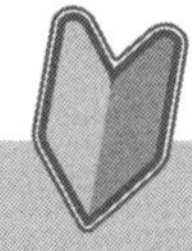

さて、ここまでダイアトニック・コードを覚えてきたけれど、各コードの構成音の度数で、混乱してしまった人もいるかもしれない。ド（C）を基準に数えるときは何度か分かるのだけど、たとえばミとソ、ファとラのような音同士、それにさらに♯や♭が付くともうお手上げ…という人のために、ここでは、度数の数え方をあらためて整理するので、しっかりマスターしておこう。

STEP 1 五線上で幹音の度数を数える

ここでは例として「ミとソ♯」「レ♭とド」の2つの音程を調べてみよう。まず「ミとソ♯」は、ソの♯を一度はずして「ミとソ」の幹音同士の音程を五線上で数える。ミ→ファ→ソと数えると3度ということが分かるね。「レ♭とド」はレの♭をはずして「レ→ミ→ファ→ソ→ラ→シ→ド」で7度だ。

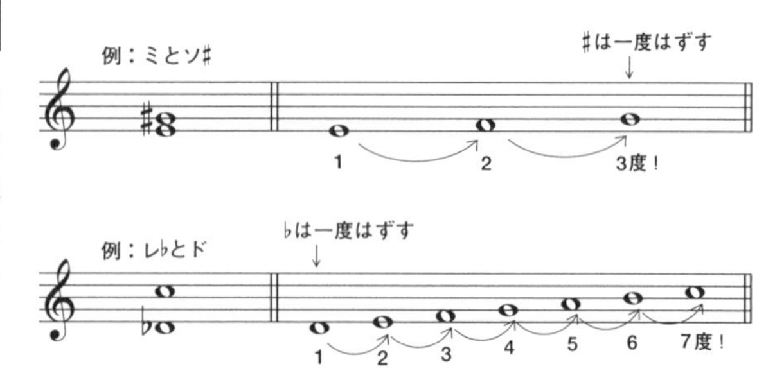

STEP 2 半音をいくつ含んでいるか判断する

では幹音「ミとソ」の3度、「レとド」の7度が長音程なのか短音程なのかを調べよう。ここで新しいことを覚えよう。音程の長短は幹音の中で半音関係になっている「ミーファ」「シード」の数で決まる。

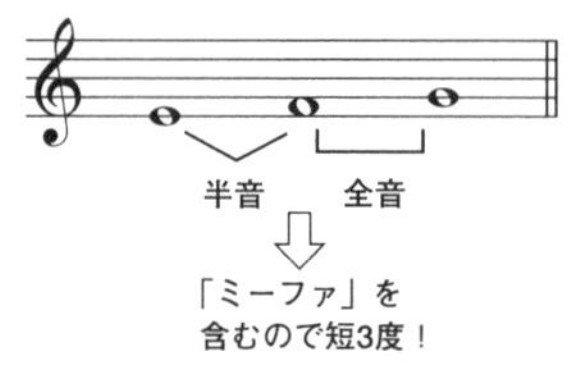

2度と3度は「ミーファ」「シード」のどちらかを含むと短音程！

6度と7度は「ミーファ」「シード」を両方含むと短音程！

「ミとソ」の間には「ミーファ」があるので答えは短3度、「レとド」は「ミーファ」「シード」を両方含むので短7度だ。

STEP 3 変化記号を戻す

最後に、元の音程に付いていた♯や♭を戻して長短音程か増減音程を考える。「ミとソ♯」は短3度から半音増えるので長3度、「レ♭とド」は短7度から半音増える（レ→レ♭は半音減っているのではなく音程は広がっているので要注意！）ので長7度ということだ。

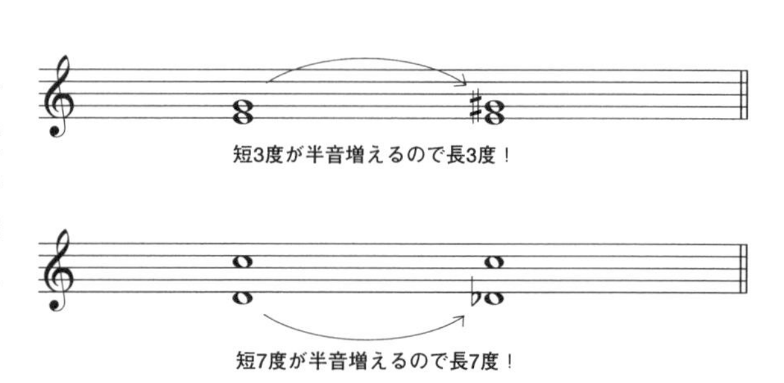

※4度と5度の注意

完全音程の4度と5度は「ミーファ」「シード」のどちらか1つを含む。

キーのしくみ

音が変わっても中身は変わらない!?

ここまでは、コードの種類をCメジャー・スケールを主体としたダイアトニック・コードで説明してきたけど、音楽にはキー（調）があるため、実際のコード演奏はすべてこのキーによって左右されるといっても過言ではない。しかしこの“キー”って言葉、よく耳にするけれど一体なんなの？

スケールとキーの関係

必読

メジャーとマイナーの区別はコードだけではない

スケールのはじまりの音を「主音」と呼び、Cメジャー・スケールなら主音は「C（ド）」だ。スケールは音の配列によってCメジャー・スケール以外にも何種類もでき、世界の民族音楽などを含めるとその数は無限といってもいい。

まずは、Cメジャー・スケールと並んで代表的なスケールを1つ覚えよう。Cメジャー・スケールの長6度上（短3度下でも同じ）の「A（ラ）」を主音にして「A B C D E F G」と幹音を並べたスケールを「Aマイナー・スケール」という。全音・半音の配列がどのように変わったかも注目して見てみよう。

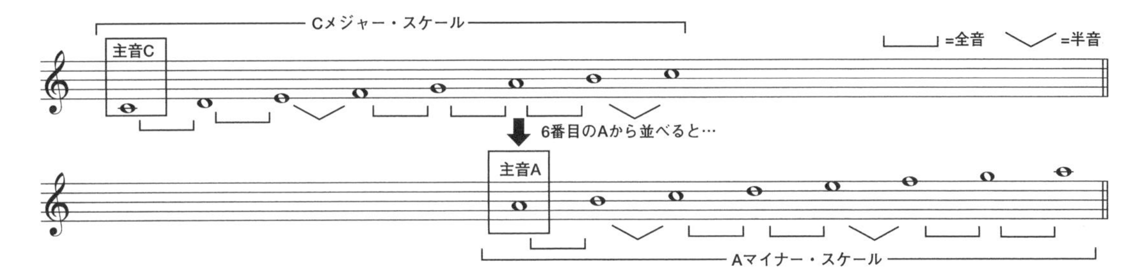

そして、ここからが最も大事なポイント。このメジャーとマイナーのスケールの“配列を変えず”に“主音を変える”と、別のメジャーとマイナーのスケールができ上がる。例を見てみよう。

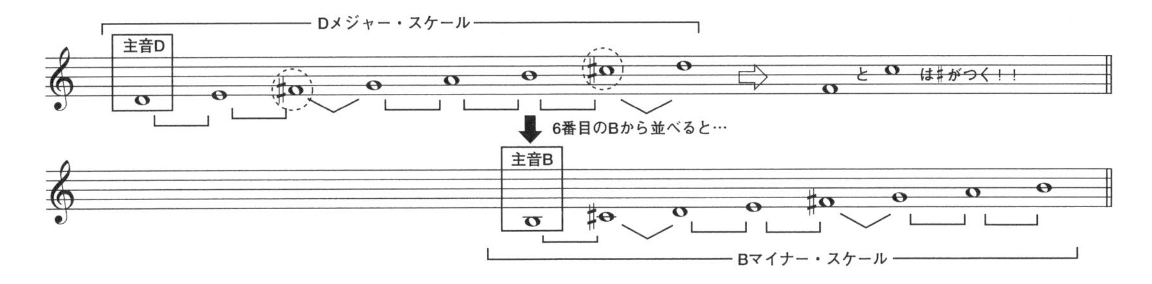

このようにCメジャーまたはAマイナー・スケール以外は全音・半音の並びの関係で、おのずと♯や♭の付いた派生音を使うことになる。キーとは、この主音を中心とした“スケールの高さ”のことで、幹音と派生音を合わせて12のキーがある。メジャー・スケールに基づいたキーを「メジャー・キー」、マイナー・スケールに基づいたキーを「マイナー・キー」という。

3つのマイナー・スケール

3つの違いは6番目と7番目の音

次に紹介するのはちょっと内容が難しいので、読み飛ばしてもらってもかまわないけれど、音楽理論では「超」基本とされる事項なので参考までに。

前ページで覚えたマイナー・スケールは正しくは「ナチュラル・マイナー・スケール（自然短音階）」という。マイナー・スケールはこの他に2つあり、ナチュラル・マイナーの7番目の音を半音上げた「ハーモニック・マイナー・スケール（和声短音階）」、6番目と7番目の音を半音上げた「メロディック・マイナー・スケール（旋律短音階）」がある。

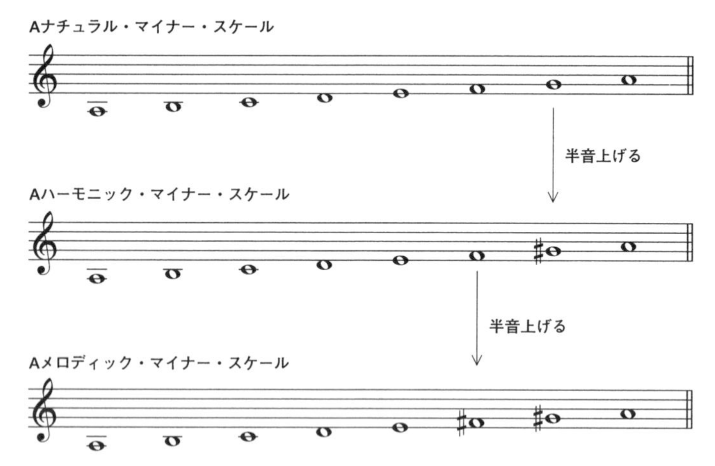

マイナー・スケールにもダイアトニック・コード（スケールの音だけで作られるコード）は成り立つ。ただし、実際のマイナー・キーの音楽の中で厳密に区別していないことのほうが多いので、あくまで参考に（ここで新しく出てくるm△7とdimはPART6で紹介する）。

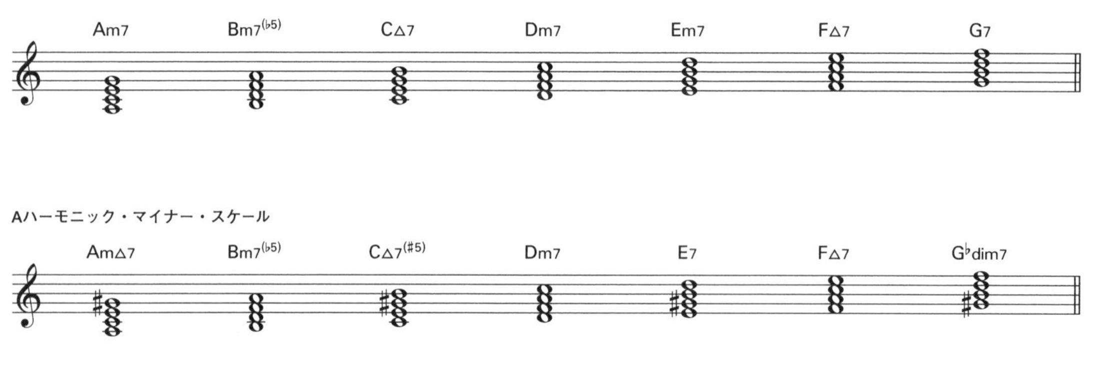

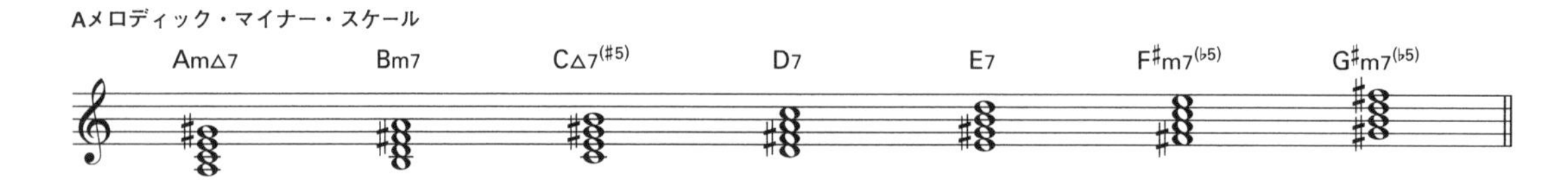

練習曲　さくらさくら

日本古謡

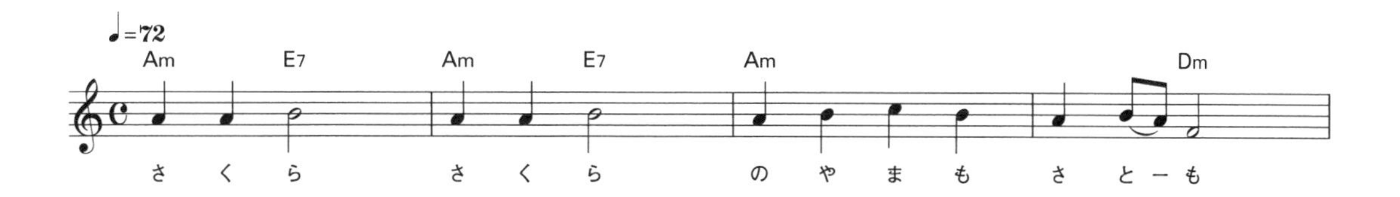

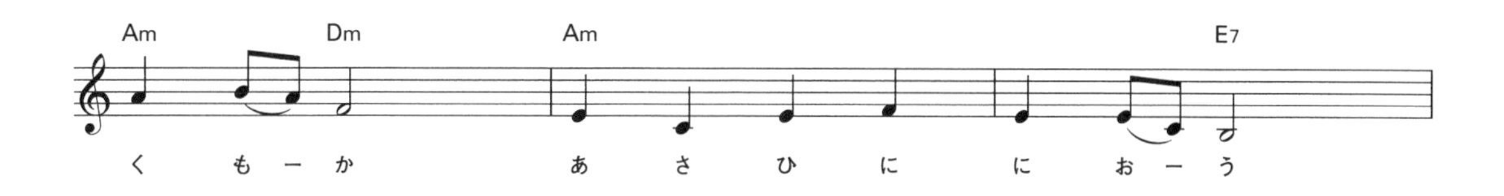

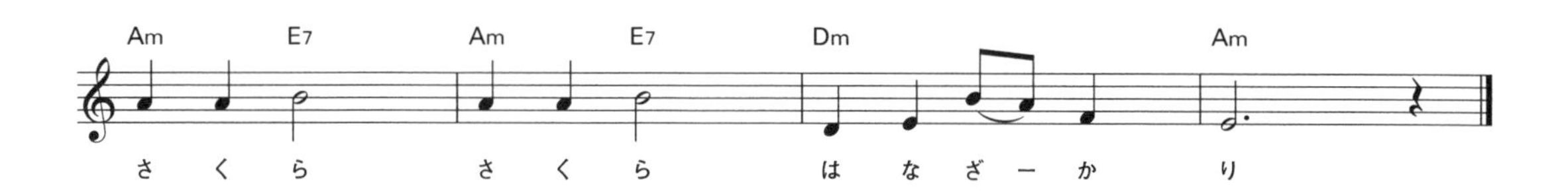

Am	E7	Dm

調号

楽譜でキーを表す♯と♭

調号ってなに？

さて、キーの話に戻ろう。スケールが幹音の配列だけでできるCメジャー・キーとAマイナー・キー以外は、♯や♭の音が中に入るので、五線の最初にあらかじめ変化記号を書き表す。このときの♯や♭を「調号」と呼ぶ。調号の付いた音は曲中ずっとその音は"高さに関係なく♯または♭が付く"ので要注意だ。

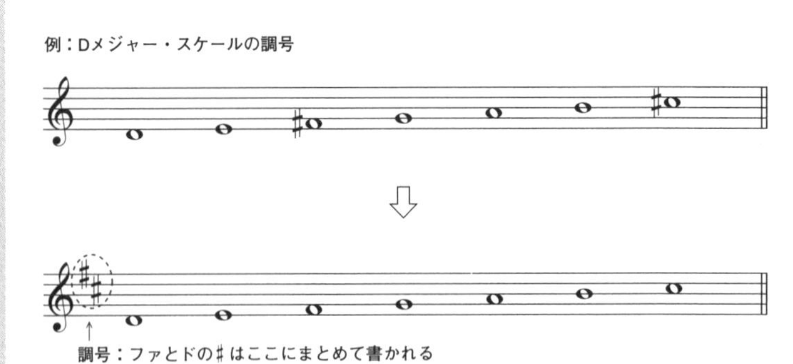

調号と臨時記号の違い

派生音（ピアノの黒鍵の音）を五線で表す変化記号の♯と♭は、五線では調号としての変化記号なのか、一時的に音を変える臨時記号としての変化記号なのかで、記譜や有効期限が変わるので注意しよう。

幹音に戻すときは、臨時記号の場合は小節内において、調号の場合は小節にかかわらず♮（ナチュラル）を付ける。

丸覚え

調号（五線のあたまに付く♯または♭の音）は曲中ずっと有効！
臨時記号（曲の中で一時的に付く♯または♭の音）は小節内でのみ有効！

♯系のキー

Cから5度進行でできる上がるキー

では、メジャー・スケールを元に、さまざまなキーを見ていこう。Cメジャー・スケールの音の配列に着目すると、全音と半音の並びが前半と後半の4音ずつで左右対象であり、これがメジャー・スケールの特色にもなっている。この配列をテトラコードと呼ぶ。

この、後半のテトラコードの上に同じ音列のテトラコードを重ねると、Fに♯を付けて半音上げる必要がある。こうしてできたものが、Cメジャー・スケールの5度上（4度下と同じ）のキー、Gを主音としたGメジャー・スケール。ここで、Fに付いた♯は調号としてト音（ヘ音）記号の隣に書かれる。

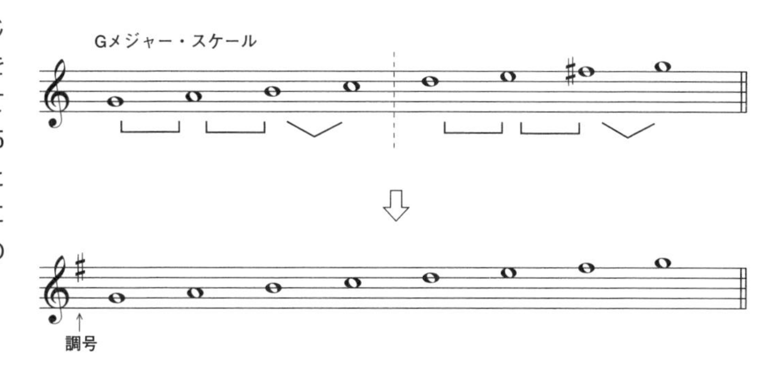

同様にして、Gメジャー・スケールの後半のテトラコードの上に同じ音列のテトラコードを重ねると、Cに♯を付けて半音上げる必要がある。こうしてできたものがFとCに調号が付き、Dを主音としたDメジャー・スケール。

以下同様に進めていくと、♯が1つずつ増えながら次々に♯系統のメジャー・スケールが形成されていく。

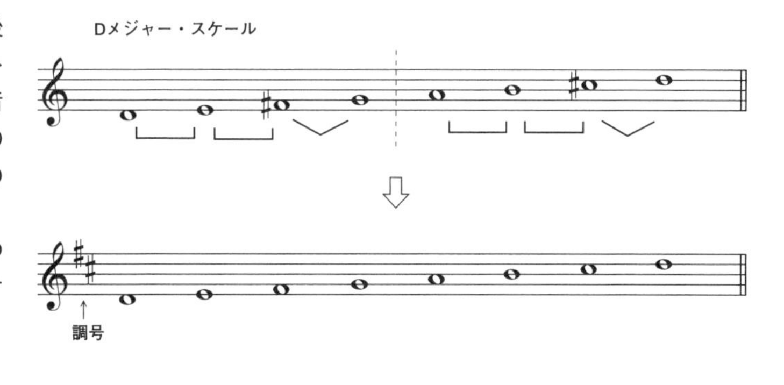

また、こうしてできる各メジャー・スケールを、6番目の音から並べ直すとそれぞれ同じ調号のマイナー・スケールができる。この調号が同じメジャーとマイナーのスケールの関係を「平行調」と呼ぶ。

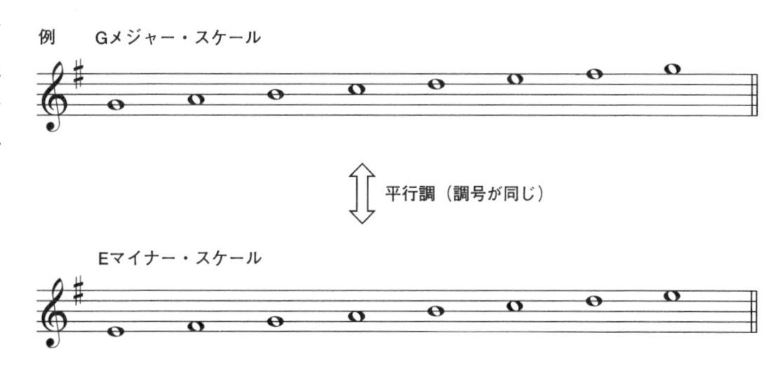

練習曲　涙そうそう

作詞：森山良子／作曲：BEGIN

D	A	G	Em7	A7	Am	D7	F♯m7	B7

♭系のキー

Cから4度進行でできる上がるキー

今度はCメジャー・スケールの前半のテトラコードの下に同じ音列を並べてみよう。ここではCメジャー・スケールを五線の右から読むように「ドシラソ〜」となり、「ファミレド」のテトラコードと同じ音列を作ると、Bに♭を付けて半音下げる必要がある。こうしてできたものが、Cメジャー・スケールの4度上（5度下と同じ）のキー、Fを主音としたFメジャー・スケール。ここでもBの♭は調号としてト音（ヘ音）記号の隣に書かれる。

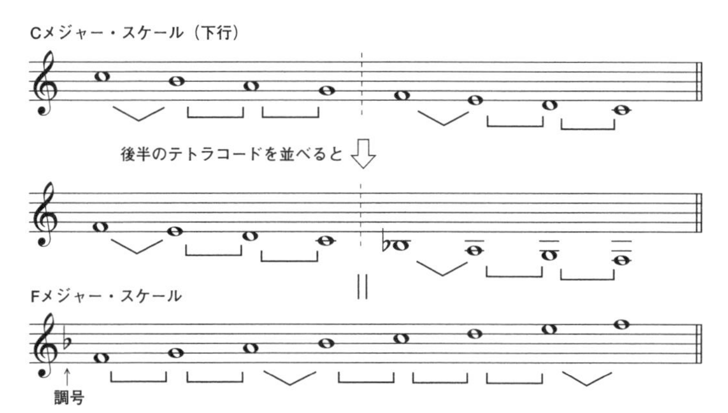

同様にして下に同じ音列を重ねると、Eに♭を付けて半音下げなくてはならないね。こうしてできたものがB♭を主音としたB♭メジャー・スケール（主音に♭が付いているので注意！）。

以下、同じように進めていくと、♭が1つずつ増えながら次々に♭系統のメジャー・スケールが形成されていく。♭系統のメジャー・スケールも、それぞれ6番目の音から並べ直すと平行調のマイナー・スケールができ上がる。

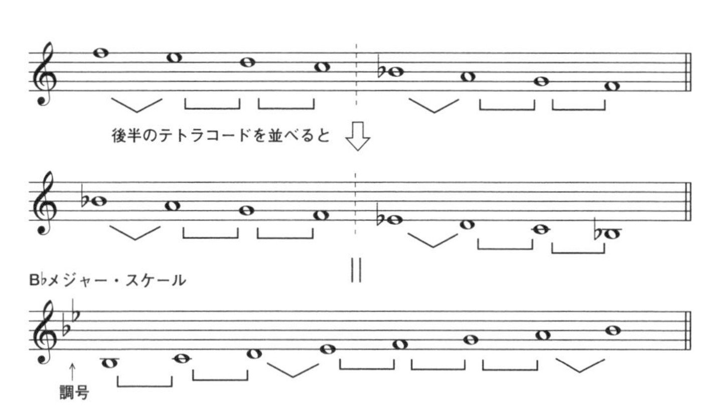

このようにして、♯系も♭系も音階を構成するすべての音（7音）に変化記号が付いたところで打止めになる。調号の付く順番は、呪文のようにして丸暗記しておくと後々役に立つ。

♭系統「シ・ミ・ラ・レ・ソ・ド・ファ」

丸覚え

♯系の調号の付く順番は「ファードーソーレーラーミーシ」
♭系の調号の付く順番は「シーミーラーレーソードーファ」

練習曲　見上げてごらん夜の星を

作詞：永 六輔／作曲：いずみたく

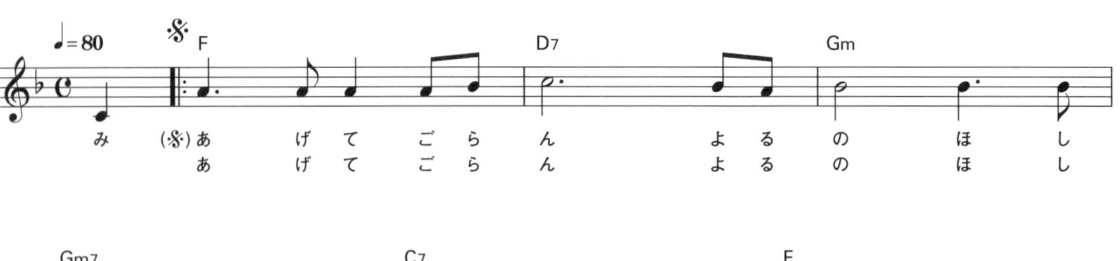

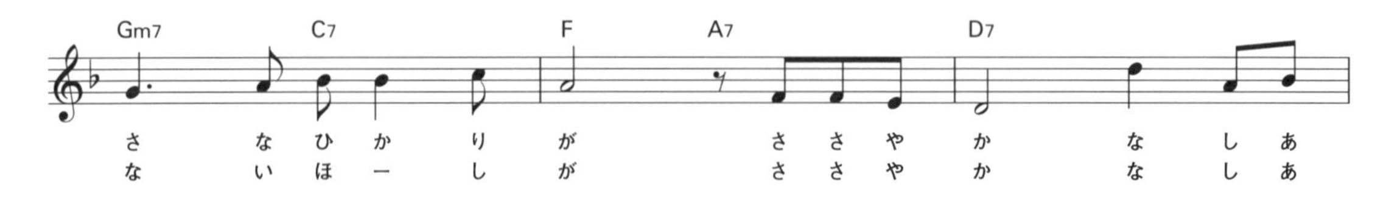

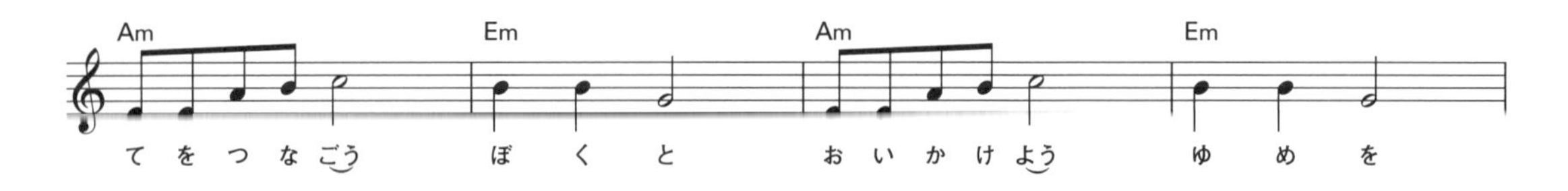

F	D7	Gm	Gm7	C7	A7	Am	Em	G7

キーの判定方法

調号を見ただけでキーがパッと分かる便利な方法を覚えよう！

♯系統の調も♭系統の調も、調号が1つずつ増えていくしくみは分かったかな？　しかし、調号がいくつ付くと何調なのか、というのを頭で考えるのは大変だね。そこで簡単なキーの判定方法があるので覚えておこう。

♯系の判定

♯の場合は、主音の半音下の音に♯が付くので、最後の♯の半音上の音が調の主音になる。

例

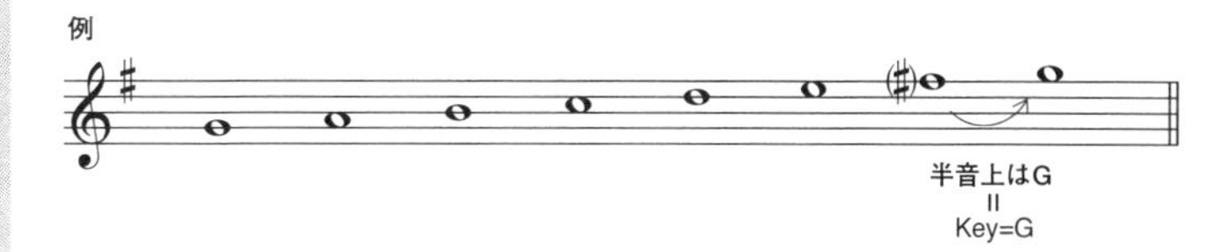

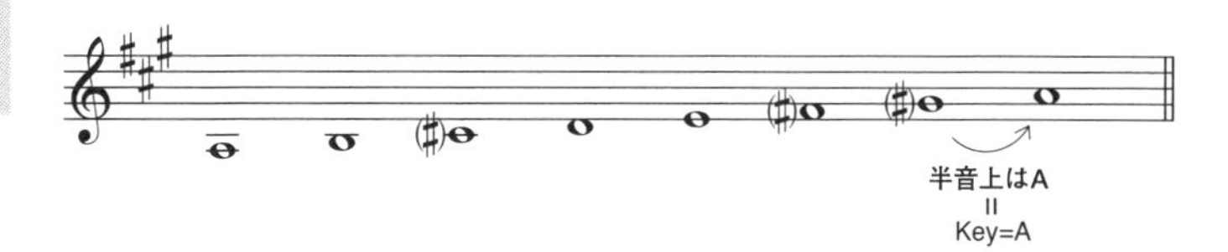

♭系の判定

♭は少し複雑で、主音から4度ごとに♭が付くので、最後から2つ目の音が調の主音。頭で考えると難しいので、ここも機械的に覚えてしまおう。

例

丸覚え

♯系の主音は調号の最後の音の半音上！
♭系の主音は調号の最後の音から2番目！

転調と移調

“移動ド”に慣れておくと便利！

転調

　さて、キーのしくみを見てきたけど、あるキーで始まった曲が、途中で違うキーに変わることがある。これを「転調」と呼び、楽譜上ではキーが変わるところで新しい調号が書かれる。

移調

　歌の声域や楽器の音域に合わせたり、調号のたくさん付いた曲を見やすくするなどの目的で、元の調から違う調にして楽譜を書き換えることがあり、これを「移調」と呼ぶ。

移動ド

　♯や♭のたくさん付くキーは、幹音だけでできたCメジャー・スケール（またはAマイナー・スケール）に置き換えて音を“読み直す”と分かりやすい。たとえば♯が1つ付いたGメジャー・スケールの主音G（ソ）をC（ド）に置き換えて、「ソラシドレミファ♯ソ」を「ドレミファソラシド」として読む。これを「移動ド」といい、本来の「ソラシ～」を音名、「ドレミ～」に並べ直した音は階名という。調号がどんなにたくさん付いても、移動ドで読めるようになっておくと、転調や移調がしやすくなるので便利だ。

✎ TEST

[問題1] 次の調号を見て、メジャー・キーの主音を答えよう

[問題2] 次の調号を見て、マイナー・キーの主音を答えよう
（ヒント：メジャー・キーの短3度下または長6度上）

[問題3] 階名を書き込もう

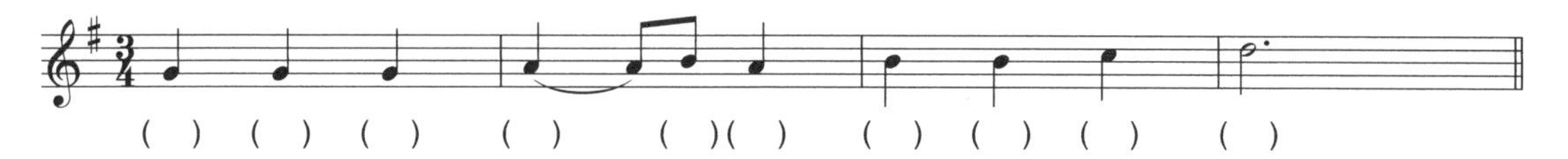

[問題4] 階名を書き込もう

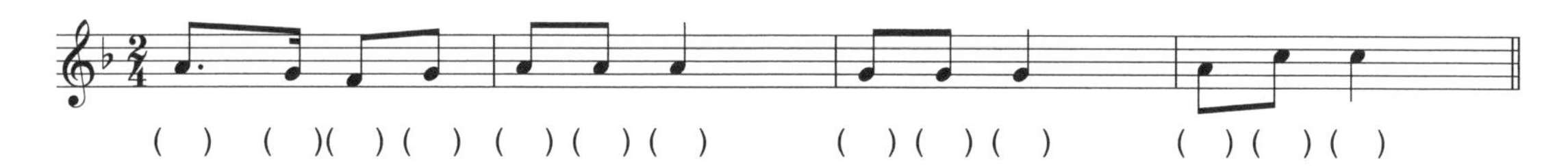

答え
[問題1]：A―F―G―D♭―E―E♭
[問題2]：B―D―C♯―C―G♯―G
[問題3]：ド―ド―ド―レ―ミ―レ―ミ―ミ―ミ―ファ―ソ
[問題4]：ミ―レ―ド―レ―ミ―ミ―ミ―レ―レ―レ―ミ―ソ―ソ

コード進行

パターンを覚えれば作曲もできる！

音楽の中でコードはデタラメに並べられているわけではなく（もちろん偶然に組み合わせたコードが素晴らしい曲になることもあるけど）、キーの秩序に従って、あるコードから別のコードへと流れ、それぞれの役割を果たすもの。ここからは、より実際の演奏に関わるコード進行について学んでいこう。

ダイアトニック・コードの機能

キーに左右されない便利なローマ数字を覚えよう

PART2と３で覚えたCメジャー・スケールのダイアトニック・コードを他のキーにも応用するために、コード理論では次のようなローマ数字が使われる。3和音と4和音で見てみよう。

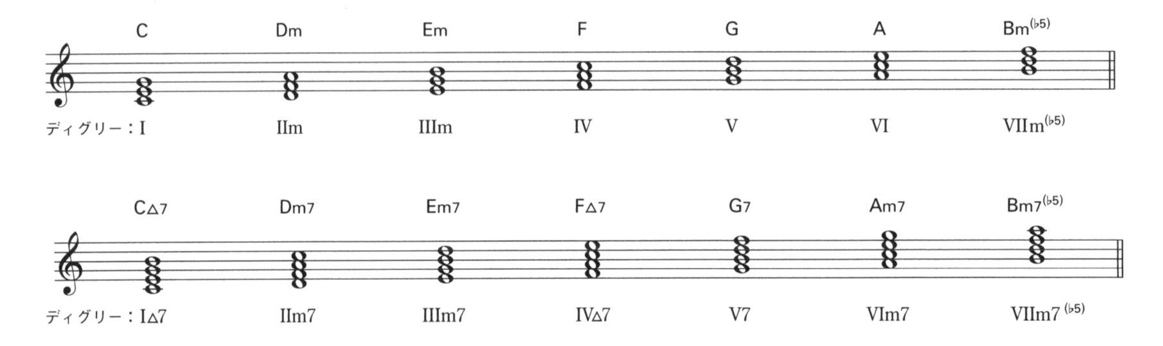

このローマ数字は「ディグリー・ネーム」と呼ばれ、キーに関係なくコードの機能を説明するときに用いられるので覚えておこう。注意点として、♯や♭が付く音は♯Iや♭IIなど、変化記号が頭に付く。

スリー・コード

ダイアトニック・コードは、そのキーでできた曲に使える基本のコード。上記の7つのコードのうち、Iを「トニック」、Vを「ドミナント」、IVを「サブドミナント」といい、これらは合わせて「スリー・コード（主要3和音）」と呼ばれている。

トニックは終止感を持ったコードで、音楽はトニック・コードから始まって、いろいろなコードを経て再びトニックへ戻って終わることで、調性が保たれる。ドミナントはトニックに進みたがるコード。

サブドミナントはトニックとサブドミナントのどちらにも進みたがるコードの性質を持っている。

代理コード

スリーコード以外のダイアトニック・コードは、I（トニック）、V（ドミナント）、IV（サブドミナント）と構成音の近いもののいずれかに、代理コードとして振分けられる。

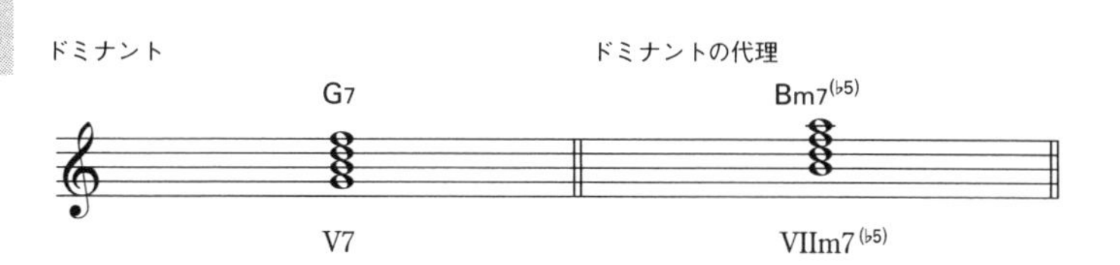

ダイアトニック・コード以外でもコード構成音が近いものは代理コードとして使われる。いろいろなケースがあるが、1つの例として、サブドミナントⅣの変わりにⅣmを代理コードとして使うことができる。この場合のⅣmはサブドミナント・マイナーという。

ドミナント・モーション

これがセブンス・コードの秘密だ！

ドミナント・モーション

ダイアトニック・コードは実際の曲の中では3和音と4和音のどちらを使ってもよく、混在してもよい。ただし、ドミナントは基本的にセブンス・コードが使われるため、ドミナント（つまりダイアトニックの5番目）にあたるセブンス・コードは特別に「ドミナント・セブンス（Ⅴ7）」とも呼ばれる。Ⅴ7→Ⅰ（Ⅰ△7）の進行を「ドミナント・モーション」という。

P.20で触れたトライトーンは覚えているかな？　ドミナント・モーションは、このトライトーンの反行（一方が上がるともう一方が下がる、またはその逆の進行）により、最も強い進行感がうまれる。これがセブンス・コードの特性なのだ。

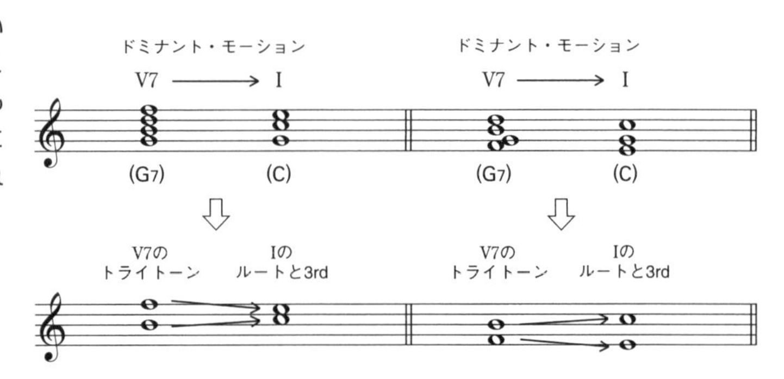

ツー・ファイブ

また、Ⅴ7の前にⅡm7を置いて、Ⅱm7→Ⅴ7→Ⅰの進行も、ドミナント・モーションを補助する役割でよく使われる。Ⅱm7→Ⅴ7の進行を「ツー・ファイブ」という。

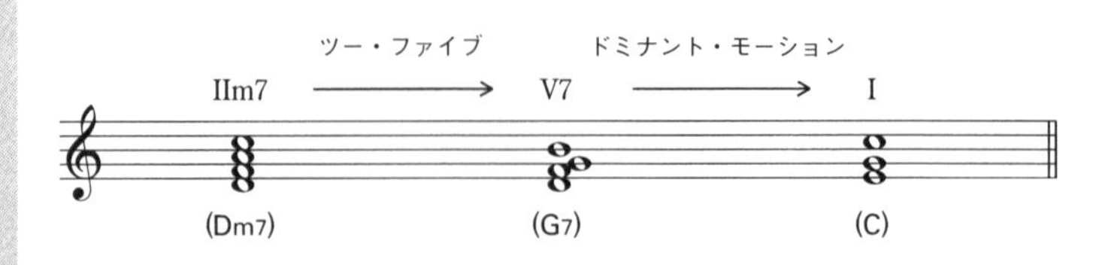

セカンダリー・ドミナント

2次的なドミナント・モーションをかけるセブンス・コード

トニック以外のダイアトニック・コードを仮のⅠとしたときのⅤ7（キー上のⅠ7・Ⅱ7・Ⅲ7 etc.）を「セカンダリー・ドミナント」という。この説明だけでは意味がサッパリ…なので、順を追って見ていこう。まず、右のようなコード進行があるとする。ダイアトニック・コードだけでできたシンプルなコード進行だ。

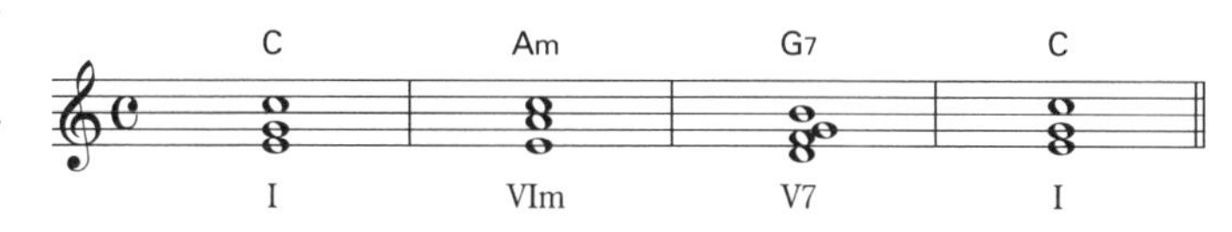

では2小節目のコード、Amに注目してほしい。これはCメジャー・キーの6番目（Ⅵm）のダイアトニック・コードになるけど、ここではこのAmを仮のⅠ（マイナー・コードなのでⅠm）とし、Ⅴ7（5度上のセブンス・コード）を考える。答えはE7だ。

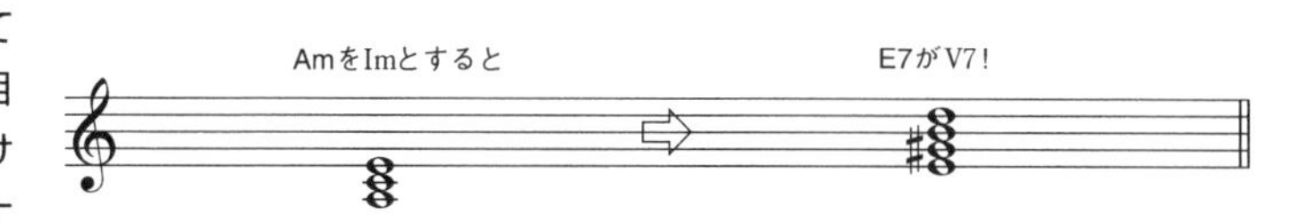

このE7はキーCにおいてⅢ7というノン・ダイアトニック・コード（ダイアトニック・コード以外のコード）になるが、Amへドミナント・モーションをかけるコードとして、Amの直前に置くことができる。最初のコード進行の中で見てみよう。

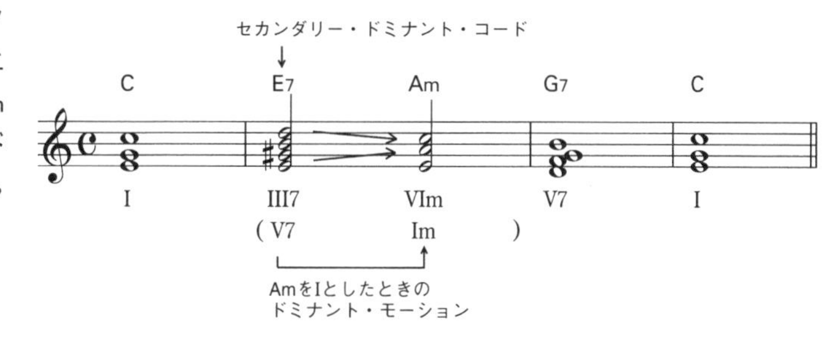

セカンダリー・ドミナントとはこのように、2次的なドミナント・モーションをおこすセブンス・コードのことをさす。少し難しくなってしまったので、今までのことを整理するために、またポイントにまとめておこう。

丸覚え

Ⅴ7→Ⅰは最も強力なコード進行＝ドミナント・モーション

Ⅱm7→Ⅴ7→ⅠのⅡm7→Ⅴ7はⅤ7→Ⅰを少しやわらげる進行＝ツー・ファイブ

ⅠとⅦm7(♭5)以外のコードの前には、そのコードをⅠとしたときの仮のⅤ7を置くことができる＝セカンダリー・ドミナント

よく使われるコード進行

お決まりパターンを覚えれば作曲にも活かせる！

コード進行には、よくある“お決まりパターン”というのが存在する。ここで紹介するものはあくまで一例なので、自分で代理コードなどを考え、自由にアレンジしてみよう。

メジャー・キーの循環コード

トニックからいくつかのコードを経てトニックに戻るコード進行を「循環コード」という。何通りも考えられるが、**I→VIm7→IIm7→V7**が代表的なパターンで、通称「イチ・ロク・ニー・ゴー」と呼ばれている。

Key=C

最初（C）に戻る ↓

C	Am7	Dm7	G7
I	VIm7	IIm7	V7

セカンダリー・ドミナントを入れた循環コード

上記の**VIm7**を次の**IIm7**のセカンダリー・ドミナント**VI7**にしたパターン。

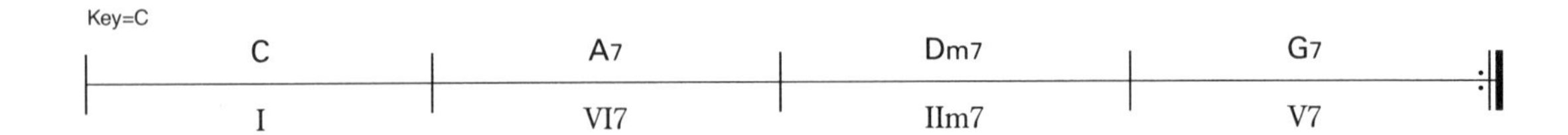

逆循環コード

トニック以外のコードから始まる循環進行は「逆循環コード」という。例は「イチ・ロク・ニー・ゴー」を「ニー・ゴー・イチ・ロク」としたパターン。

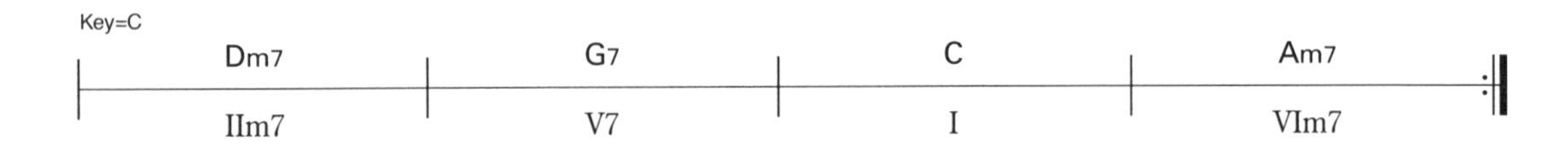

サビなどでよく使われるパターン

サブドミナント・マイナーを入れたパターン

Ⅳをマイナー・コードにしたⅣm（サブドミナント・マイナー）を入れたパターン。Ⅰ7はⅣのセカンダリー・ドミナント。

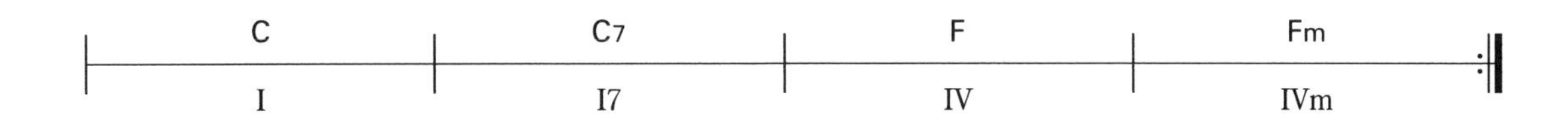

マイナー・キーの循環コード

マイナー・キーでよく使われる循環コードの一例。

Key=Am

Am	G	C	E7
Im	VII	III	V7

ブルース進行

ブルースの基本となるコード進行で、ミュージシャンのセッションで当たり前のように使われている。すべてのコードにセブンス・コードが使われ、12小節でワンコーラスとなっているのが特徴。

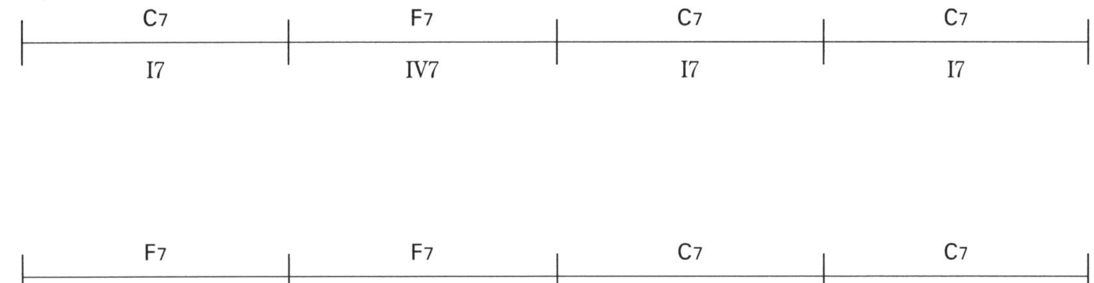

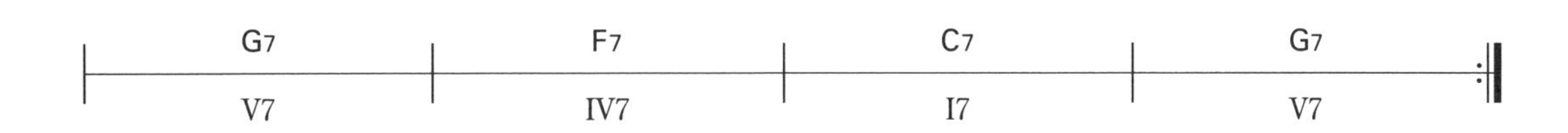

五度圏のしくみ

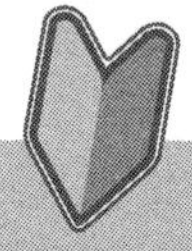

さて、キーやコード進行に関するやや複雑な話が増えてきたので、少し整理しておこう。Cメジャー・キーとAマイナー・キー以外には5度上がる（4度下がる）と、調号の♯が1つずつ増え、5度下がる（4度上がる）と調号の♭が1つずつ増えるしくみだったよね（P.27＆29参照）。これを円形に並べたものを五度圏（サークルオブフィフス）というんだ。

五度圏を見てみよう

♯はCメジャー・キーから5度ずつ右回りに、♭は4度ずつ左回り（＝5度下がる）に調号の数が増え、下のほうを見るとG♭＝F♯のようにトニックが異名同音関係で合流し、全12キーがきれいに円形で並ぶ。内側の円は各メジャー・キーの平行調のマイナー・キーを表している。

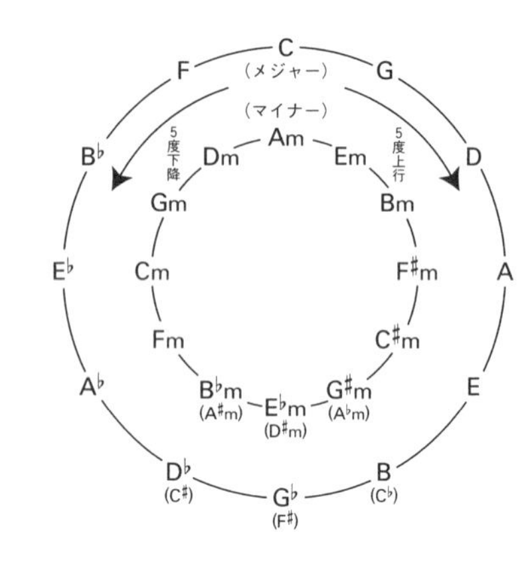

親戚関係を見てみよう

この五度圏は、各キーの関連図であるとともに、コードのさまざまな関連性を表しているんだ。五度圏の一部を抜き出して見てみよう。C&Amを中心に左右を見ると、ドミナントとサブドミナントのキー、そしてそれぞれの平行調になっている。この6つの関係を「近親調」といい、同じキーで使われやすいコードを表している。

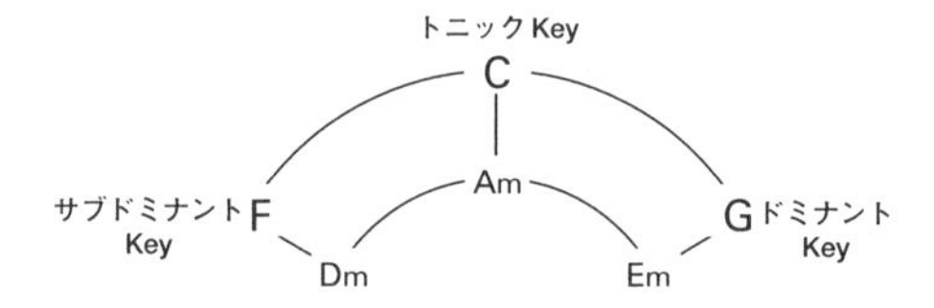

裏コードとは？

近親調に属さないキーを「遠隔調」という。ただし、円の対角線上にあるキーは特別で、コードに置き換えた場合「裏コード」と呼ばれる代理コードになるのだ。たとえばCにとって反対側のG♭が裏コード。これはセブンス・コードにしたときに共通のトライトーンが含まれるため、構成音が近くなり代理として使えるんだ。これはジャズの理論などで使われるちょっと難しい内容なので、細かく覚えなくても大丈夫！

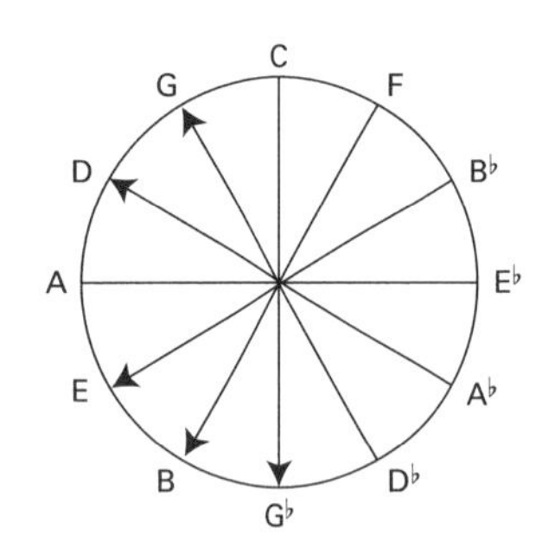

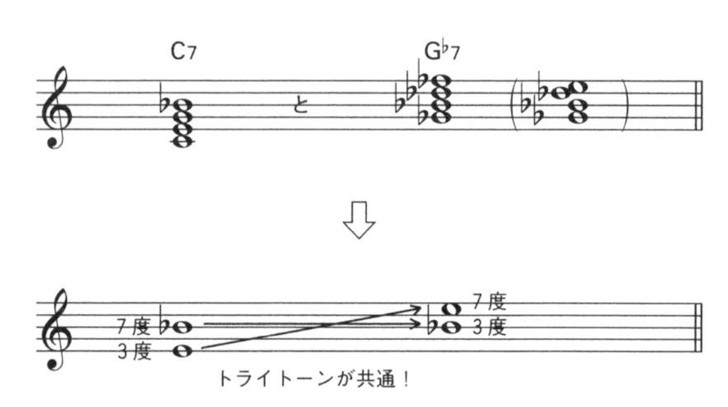

いろいろなコード

まだまだあるぞ！　コードの種類

さあ、本編もいよいよ最後のパートだ。ここまではダイアトニック・コードを中心にコードの種類やその使われ方を見てきたけれど、ここからは新しいコードを紹介していくので、使われるコード進行なども絡めながら、その種類を見ていこう。ここでは分かりやすくするためにルートをすべてCに統一する。

シックスとマイナー・シックス

メジャーまたはマイナー・トライアドに長6度を足したコード

シックス・コード

メジャー・トライアドに長6度を加えたコード。コード・ネームの数字の6は長6度を表している。

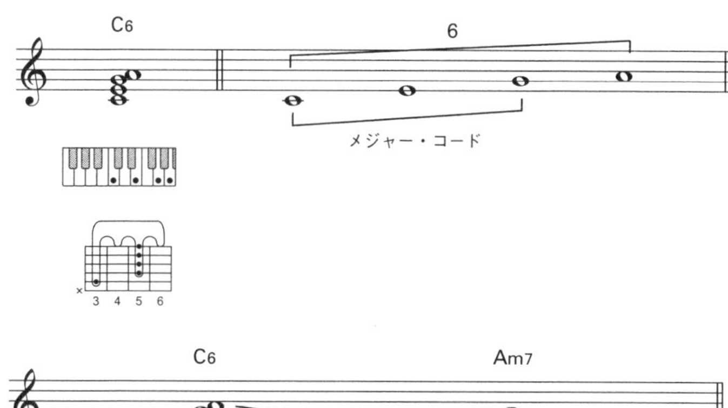

このシックス・コードは構成音を見ると、6度をオクターブ下げた3度下のマイナー・セブンス・コードと同じになるので、マイナー・セブンスの代理としても使われる。

マイナー・シックス

マイナー・トライアドに長6度を加えたコード。コード・ネームのmはマイナー・トライアドのマイナー、数字の6が長6度を表している。

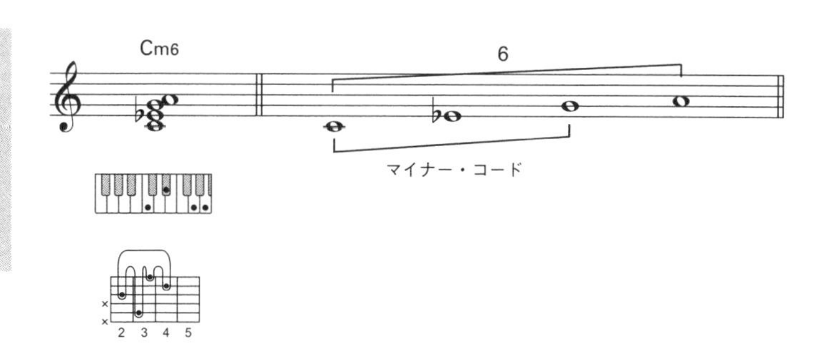

丸覚え

シックス・コード、マイナー・シックス・コードの「6」は長6度！
シックス・コードは転回すると6度上（＝3度下）のm7

② マイナー・メジャー・セブンス

マイナー？　メジャー？　一体どっちなの！？

マイナー・メジャー・セブンス
　マイナー・トライアドに長7度を加えたコード。複雑なコード・ネームだけれど、mはマイナー・トライアドのマイナー、したがって基本的にマイナー・コード特有の暗い響きとなる。△7は長7度を表している。

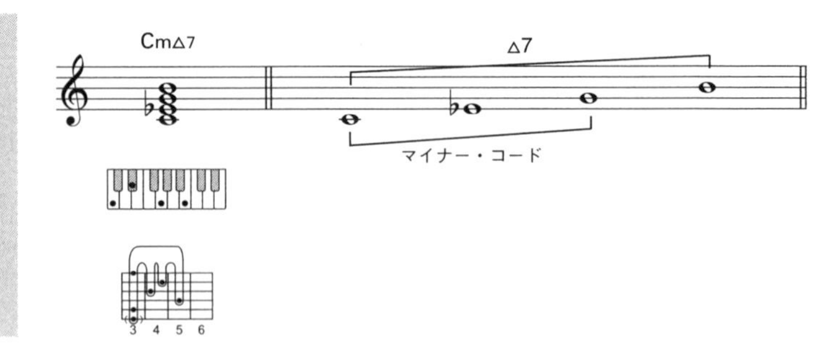

　この名前も響きも複雑なコードは、右のような「クリシェ」というコード進行で出てくることが多い。クリシェとは、コードの構成音が半音、または全音下がる（または上がる）進行のこと。

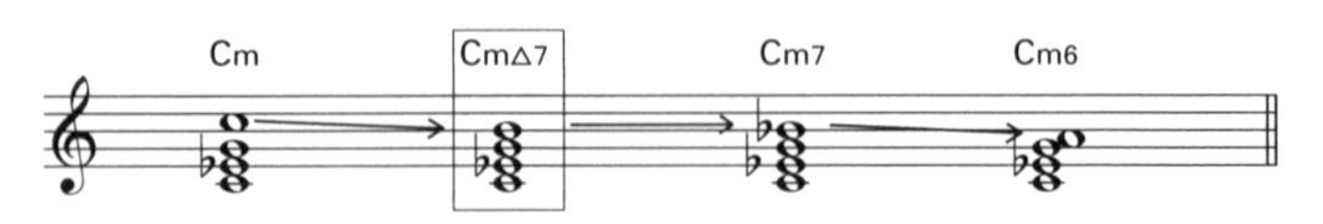

コードトーンが半音または全音進行する（クリシェ）

③ 等音程和音

転回しても音程が変わらない不思議なコードたち

オーギュメント
　ルート音に長3度と増5度を積み上げたコード。C(♯5)とも表記され、メジャー・トライアドの5度を半音上げる、と考えると分かりやすい。

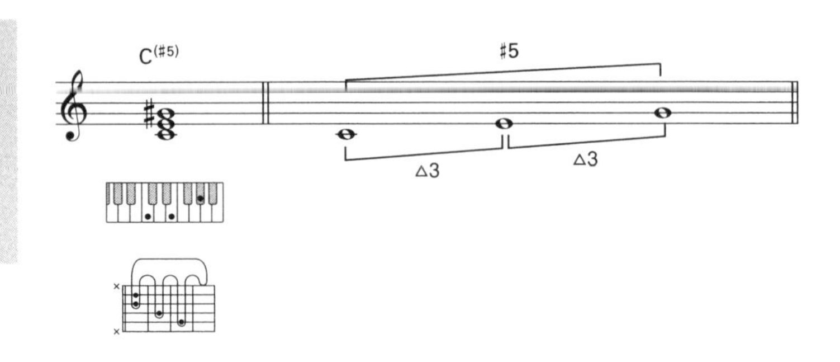

　オーギュメント・コードは長3度ずつ積み上げたコードで、転回すると同じ構成音で別のルートのオーギュメント・コードになる。構成音から次の4つのグループに分けられる。

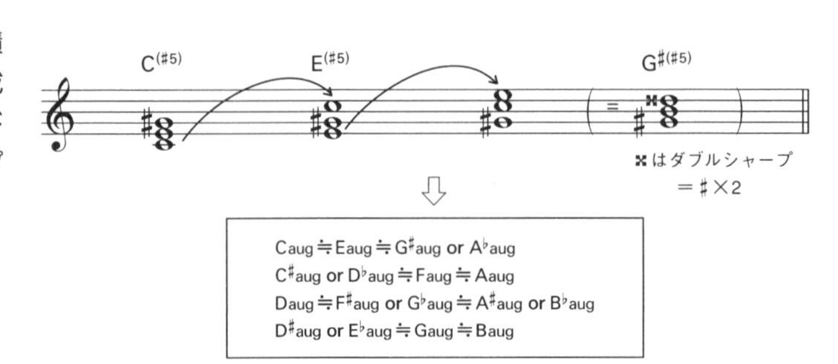

Caug ≒ Eaug ≒ G♯aug or A♭aug
C♯aug or D♭aug ≒ Faug ≒ Aaug
Daug ≒ F♯aug or G♭aug ≒ A♯aug or B♭aug
D♯aug or E♭aug ≒ Gaug ≒ Baug

ディミニッシュ
　マイナー・フラットファイブ（m(♭5)）に減7度（短7度の半音下）を加えたコード。短3度ずつ積み上げた等音程和音になり、正しくはdim7と表記するが、一般的にはdimのみでトライアドに減7度を加えたコードを示す。

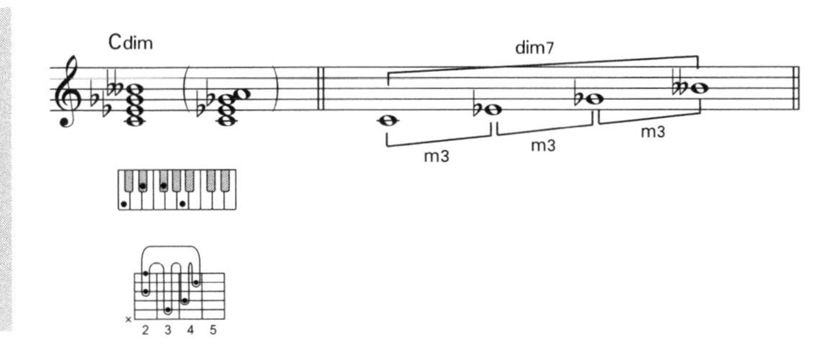

　ディミニッシュもオーギュメントと同様に、転回しても構成音が変わらないことから、次の3つのグループに分けられる。

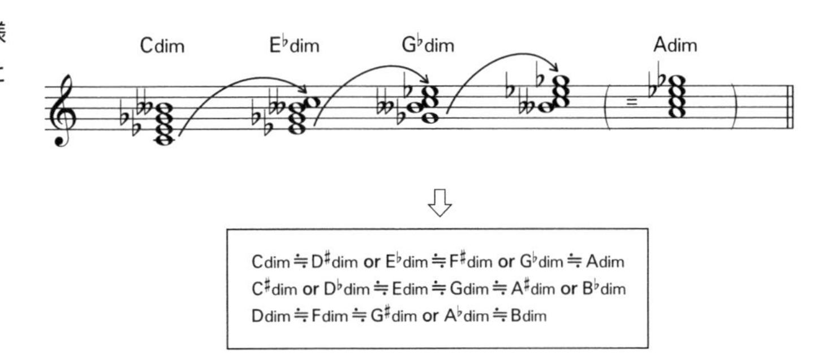

　ディミニッシュは単体で鳴らすととても不安定なサウンドだけど、次のような進行の中でよく使われる。長2度進行するダイアトニック・コードの中間に置かれ、ルートの半音進行を作る（パッシング・ディミニッシュ）。

　また、ディミニッシュからルートの同じトニック・コードに解決する（トニック・ディミニッシュ）。

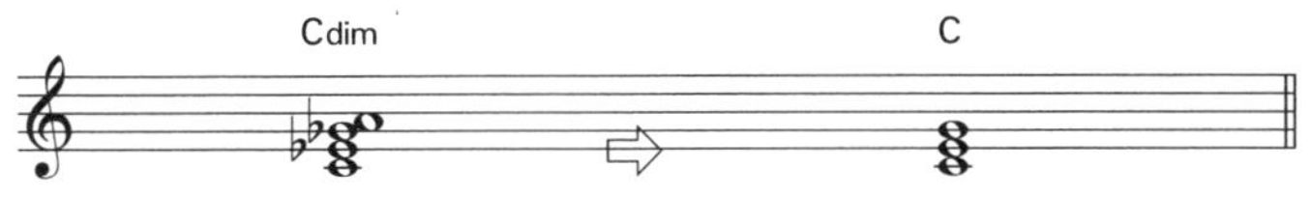

同じルートのトニック・コードに解決する

丸覚え

オーギュメントは構成音がすべて長3度音程
ディミニッシュは構成音がすべて短3度音程

コードの特殊な表記

これで英語の略記号もバッチリ

サスペンデット

サスペンデットとは「suspended＝掛留（不協和な緊張状態）された」の意味で、主に使われるのがサス・フォー（sus4）というメジャー・トライアドの長3度を完全4度にしたコード（セブンス・コードをsus4にしたセブンス・サス・フォー（○7sus4）もある）。

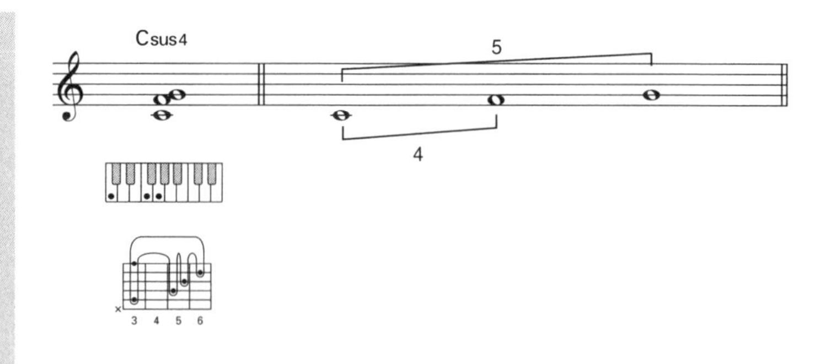

サス・フォーは単独で使われることもあるが、一般的には同じルートのメジャー・トライアドに進行することで解決する。

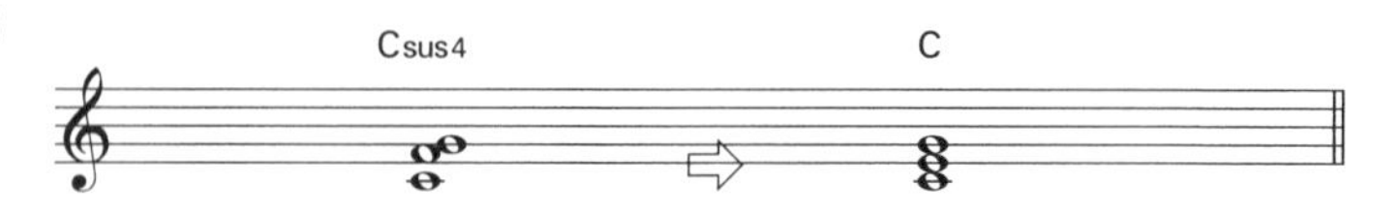

同じルートのメジャー・トライアドに解決する

アド・コード

トライアドに9度以上のテンション・ノート（次項参照）を加えるときは「add○」の表記をする。addとは「additional＝付け加えられた」の意味。使用頻度が高いコードにアド・ナインス（add9）がある。

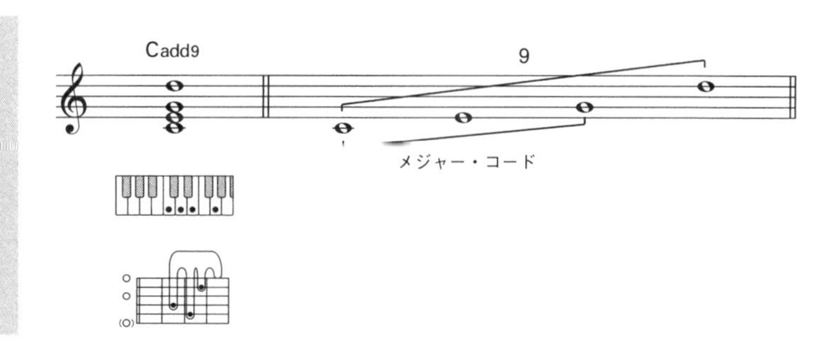

add9は実際にはオクターブ下げて演奏することが多い。稀にこれをadd2と表記することもある。

オン・コード

ベース音（1番低い音）をルート音以外の音に指定するときは「コード／指定ベース音」や「コードon指定ベース音」の表記をする。例はC/G（シーオンジー）で、ベース音をGにし、その上にCメジャー・トライアドを乗せたコード。

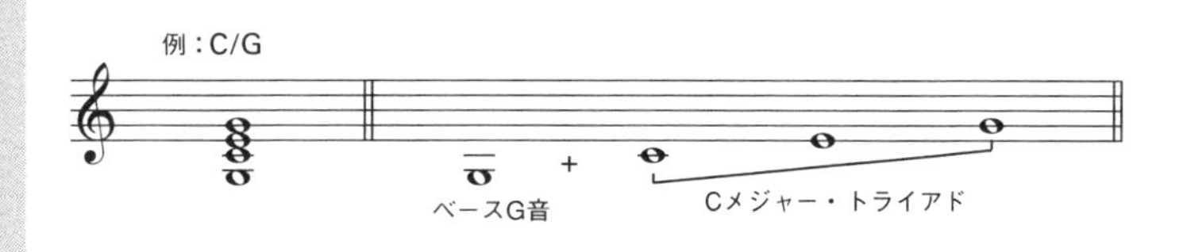

オン・コードは、楽譜集やバンドスコアにもかなり頻繁に出てくるけれど、いろいろと便利な表記なのだ。複雑なコードネームも、オン・コードに書き換えると、すっきり見やすくなる。例を見てみよう。

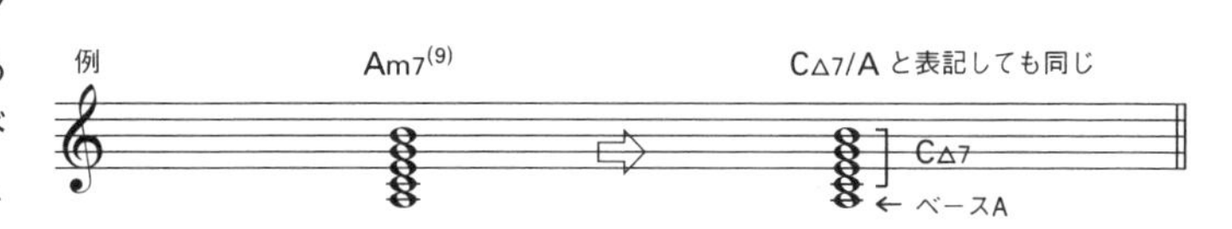

オン・コードは単純にコードの最低音を指定したいときに、コードネームの後ろに「／○」や「on ○」と○にベース音を入れればOK。ここでは具体的な使用例を2つ見てみよう。まずは、ベース音をすべて同じ音を持続させるために、オン・コードを入れた例。このようにコード進行の中で同じ音を持続させることをペダル・ポイントという。

もう1つは、オン・コードを使ってベースラインを作る例。ベースライン・クリシェなどとも呼ばれる。

オミット

最後にomitという省略する構成音を指定する表記。「omit○」で○度の音を省略する（弾かない）という意味になる。たとえばロックギターでよく使われるパワー・コード（1度と5度だけでできたフォーム）は、正しく書こうと思えば「Comit3」ということになる。しかし、実際にはただ「C」と書かれているのが普通。もし「omit○」という表記を見かけたら“○度の音は鳴らさない”とだけ覚えておけばよいだろう。

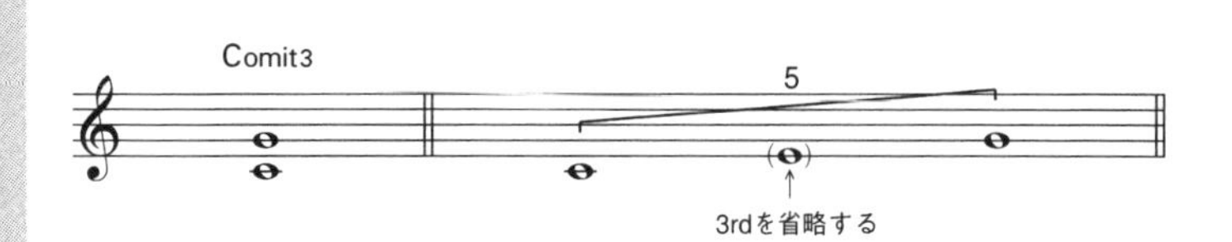

テンション・コード

のぞいてみよう！　テンションの世界

4音でできたコード(6、7、△7など)に9度以上の音を積み上げたコードを「テンション・コード」といい、ジャズやボサノヴァなどでは当たり前のように使われるコードだ。その世界を少しだけのぞいてみよう！

テンション・ノート

テンション・コードに付加される9度以上の音を「テンション・ノート」という。テンション・ノートとして使われるのは9、11、13度(2、4、6度のオクターブ上)。10、12、14度(3、5、7度のオクターブ上)はコード・トーンとなるので、テンションに相当しない。

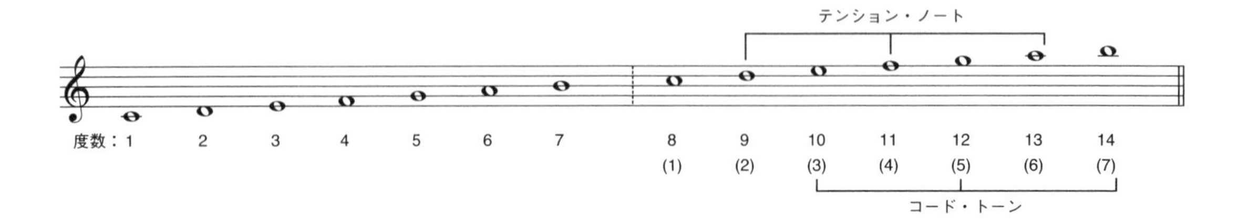

テンションの名称

♯や♭の付かない9、11、13度を「ナチュラル・テンション」、9、11、13度を♯または♭させたテンション・ノートはオルタード・テンションと呼ぶ。

テンション・ノートは元のコード・トーンに含まれない音になるので、コードの種類によって使えるテンション・ノートは限られる。ここでは次のことを覚えておこう！

丸覚え

9度は基本的に「9」を使う(♯9と♭9は普段使わない)
11度はメジャー系では「♯11」、マイナー系では「11」を使う
13度は基本的に「13」を使う(♭13は普段使わない)

では、具体的なテンション・コードを見ていこう。

メジャー・セブンスのテンション

メジャー・セブンスのテンション・ノートは9（ナインス）または♯11（シャープイレブンス）が使える。C△7に9を乗せたコードネームはC△7(9)（シーメジャーセブンナインス）、またはC△9（シーメジャーナインス）と表記する。

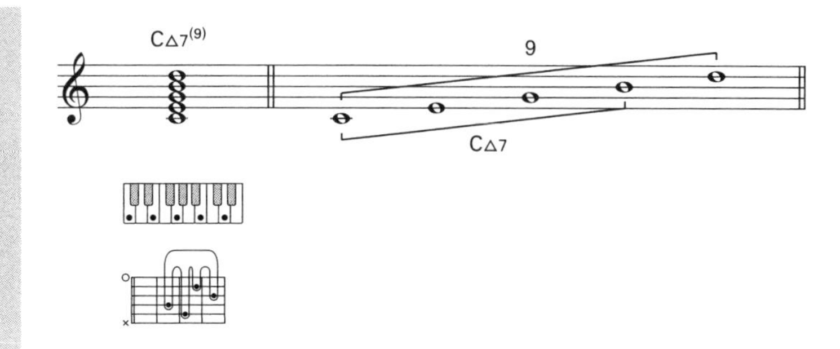

マイナー・セブンスのテンション

マイナー・セブンスのテンション・ノートは9（ナインス）または11（イレブンス）が使える。Cm7に9を乗せたコードネームはCm7(9)（シーマイナーセブンナインス）、またはCm9（シーマイナーナインス）と表記する。

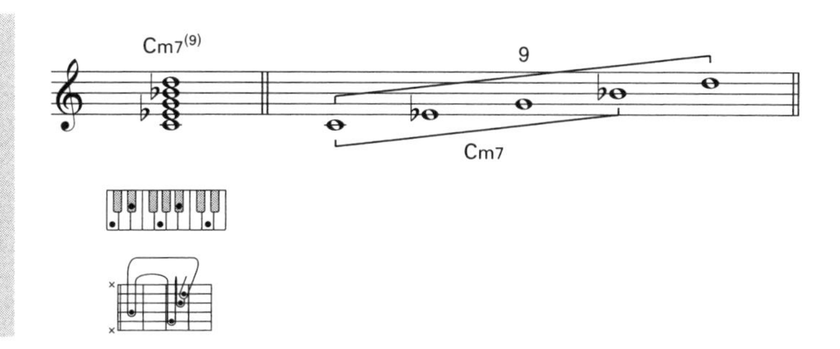

Cm7に11を乗せたコードネームは、Cm7(11)と表記する。一方、Cm7(9)に11を足したコードはCm7(11/9)と表記。このように複数のテンション・コードを乗せるときは乗せるテンション・ノートを下から書き足す。Cm7(11)とCm7(11/9)を見比べてみよう。

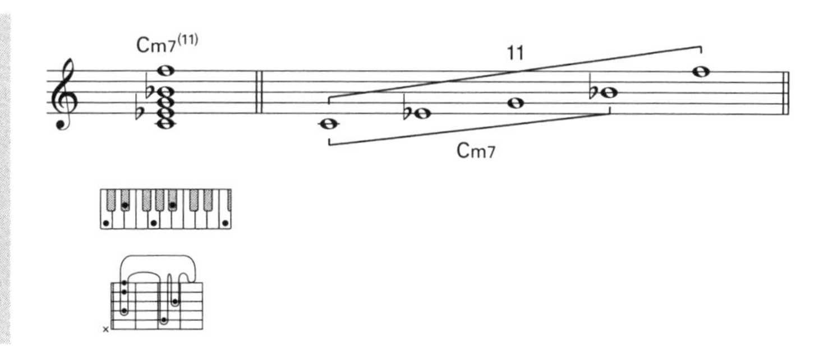

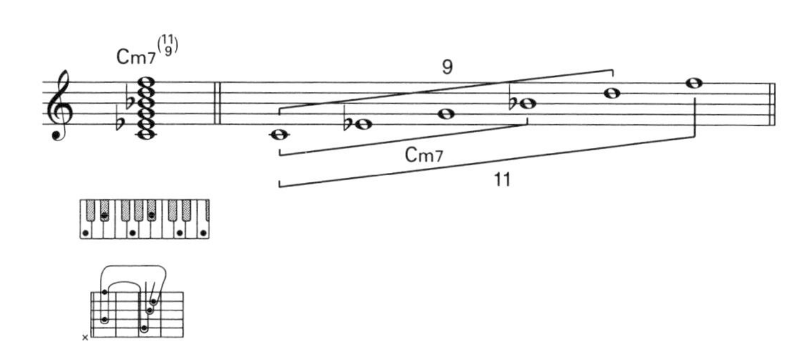

シックスのテンション

シックス・コードに使えるテンションは9（ナインス）だけ。C6に9を乗せたコードは$C6^{(9)}$（シーシックスナインス）だ。

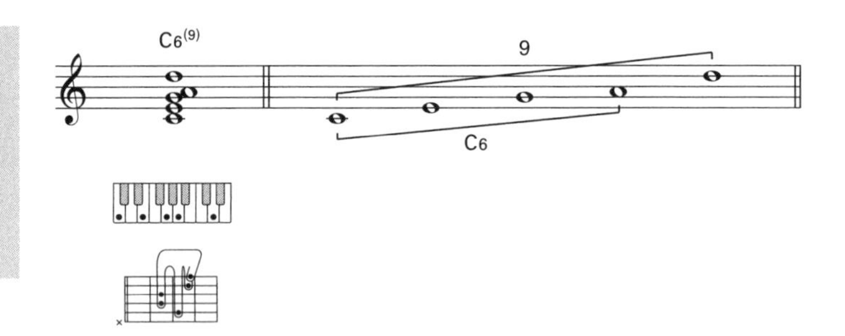

マイナーシックスのテンション

マイナー・シックスの場合も同じく使えるテンションは9（ナインス）だけ。Cm6に9を乗せたコードは$Cm6^{(9)}$（シーマイナーシックスナインス）。

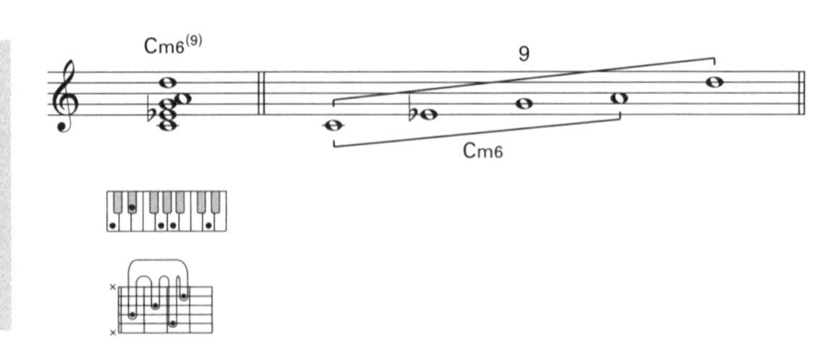

セブンスのテンション

さて、最後はセブンス・コードのテンションだ。実はテンション・コードはセブンス・コードのためにあるといっても過言ではない。セブンス・コードには、ナチュラル・テンションもオルタード・テンションもすべて使うことができるんだ。1つずつ見てみよう。

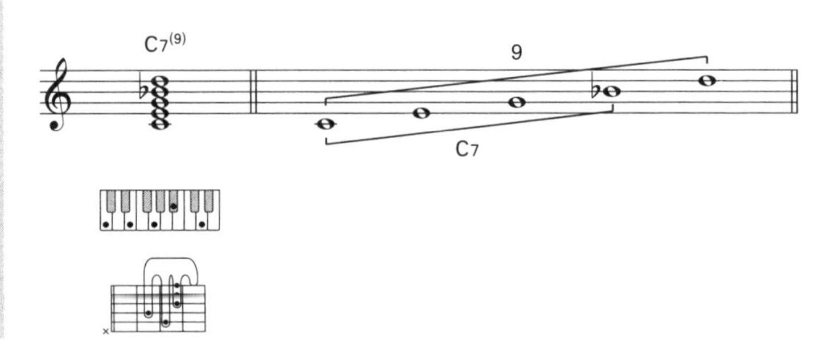

C7に9を乗せたコードネームは$C7^{(9)}$（シーセブンナインス）、またはC9（シーナインス）と表記する。

C7に♭9を乗せたコードネームは$C7^{(\flat 9)}$（シーセブンフラットナインス）。

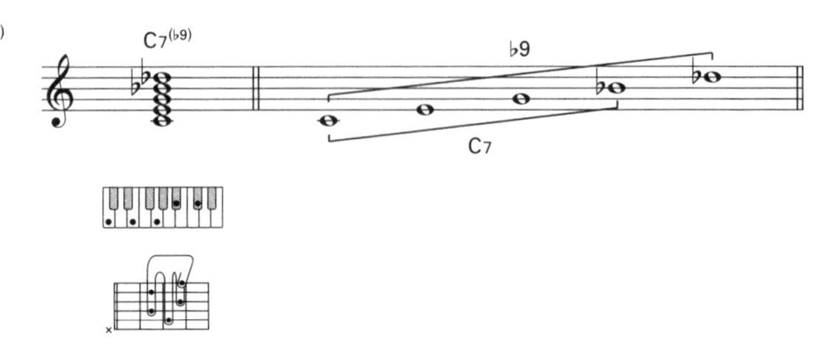

C7に♯9を乗せたコードネームはC7(♯9)（シーセブンシャープナインス）。

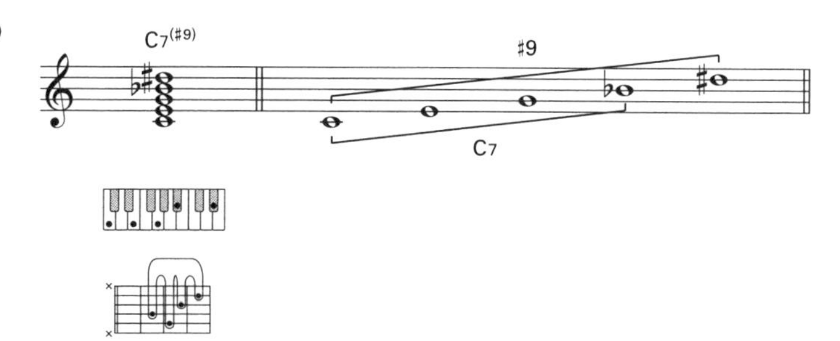

続いて11（イレブンス）を乗せてみよう。C7に11を乗せたコードネームはC7(11)（シーセブンイレブンス）。このあたりにくるとギターではすべての構成音を弾くことができないので、響きの雰囲気を残したフォームで紹介している。

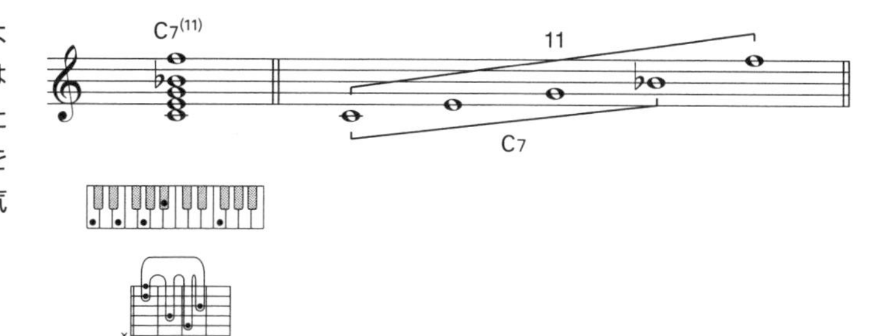

C7に♯11（シャープイレブンス）を乗せたコードネームはC7(♯11)（シーセブンシャープイレブンス）。

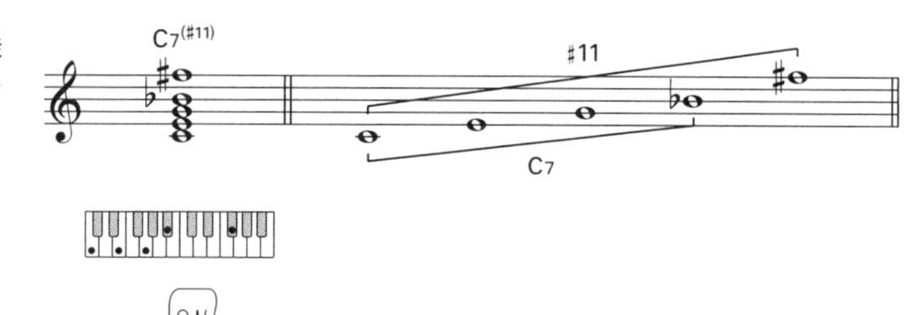

最後は13（サーティーンス）だ。C7に13を乗せたコードネームはC7(13)（シーセブンサーティーンス）。

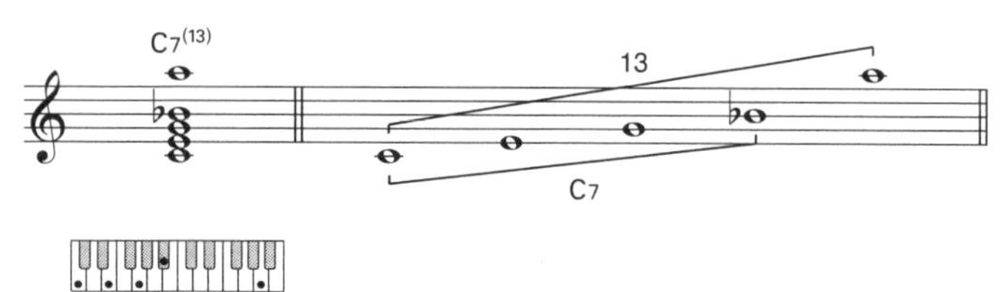

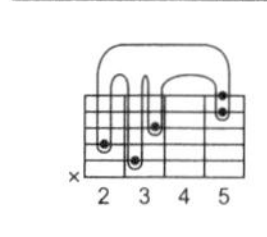

2 3 4 5

C7に♭13（フラットサーティーンス）を乗せたコードネームはC7(♭13)（シーセブンフラットサーティーンス）。

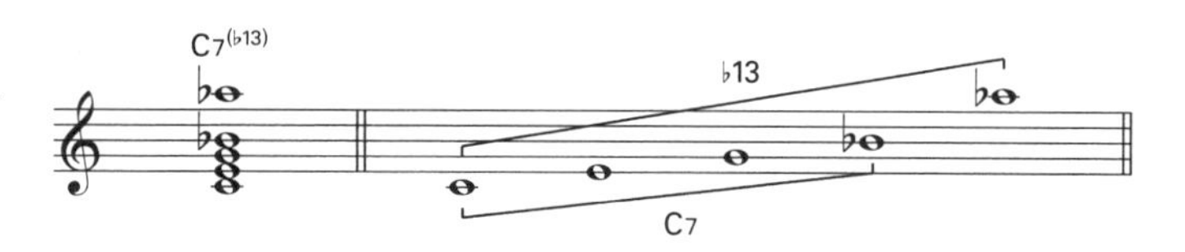

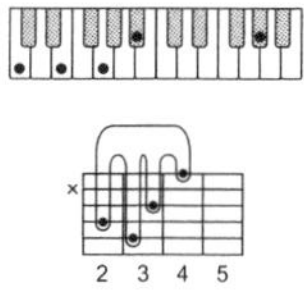

繰り返し記号マスター講座

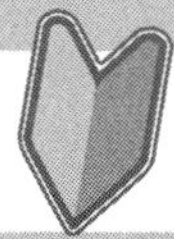

さて、本章も最後だが、次章では弾き語りの楽譜を多数掲載している。曲の進行を示す「繰り返し記号」を覚えておこう。一見難しく見えるけど、ルールに慣れてしまえばなんてことない。覚えたらP.52のテストで腕試しをしてみよう！

STEP 1 リピート

「ある程度長い小節を繰り返す」ときは、 :‖ （リピート）が使われる。 ‖: と :‖ が対になっているときは ‖: のところから繰り返し、何度も繰り返す場合は「○times」と繰り返す回数が書かれる。

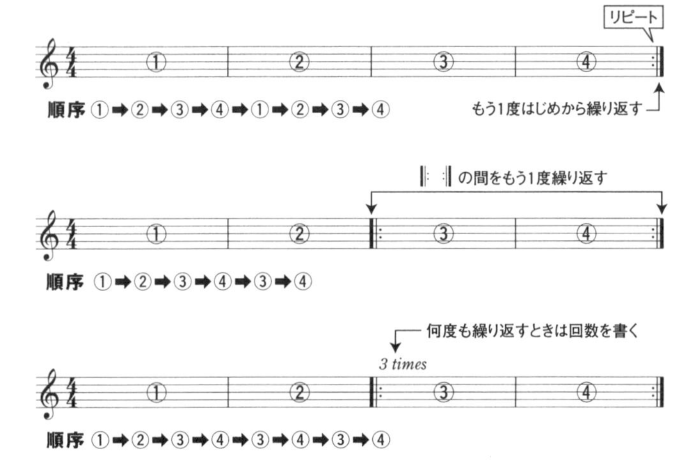

STEP 2 カッコ

「同じ小節を繰り返したあと途中から変わる」ときは 1. と 2. という番号付きのカッコが使われる。 1. のリピートで戻ったら、2回目は 1. は飛ばし、 2. へ移る。

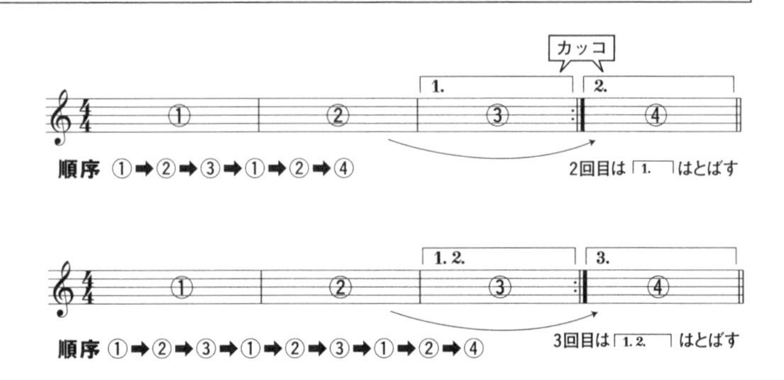

ダ・カーポ

「曲の一番最初に戻り途中で終わる」ときは*D.C.*（ダ・カーポ＝最初に戻る）と*Fine*（フィーネ＝2回目はここで終わる）が対になって使われる。「曲の最初に戻り、途中で変わる」ときは*Fine*ではなく、**to**$\oplus$（トゥー・コーダ）が途中に出てくる。**to**$\oplus$が出てきたら$\oplus$**Coda**という記号が必ず後で出てくるので、*D.C.*で戻って2回目のときに**to**$\oplus$から$\oplus$**Coda**の小節へ飛ぶ。

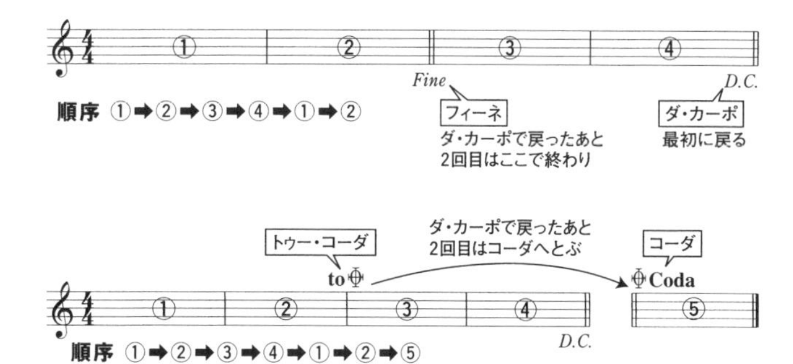

ダル・セーニョ

「曲の一部分を繰り返す」ときは*D.S.*（ダル・セーニョ）が使われる。*D.S.*が出てくる楽譜は必ずそれよりも前に𝄋（セーニョ）という記号が途中に出てくるので、*D.S.*から𝄋に戻って繰り返す。

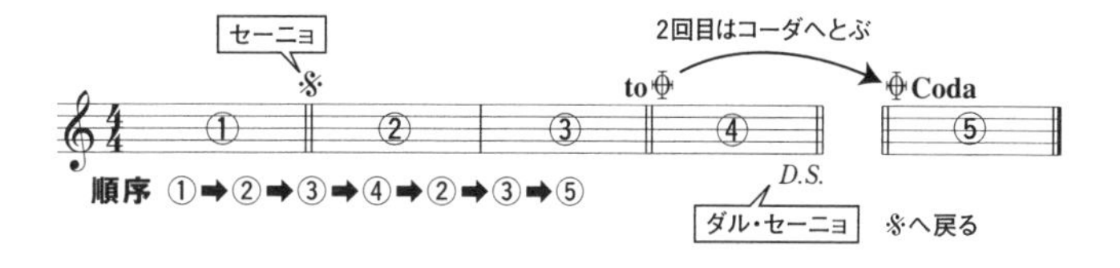

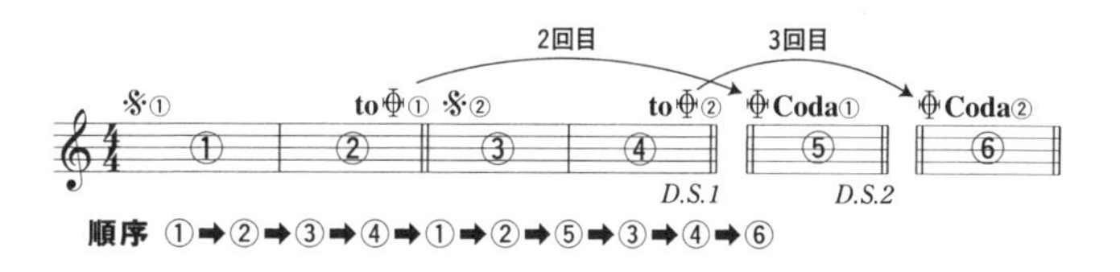

MEMO

to$\oplus$は繰り返して2回目以降に有効な記号。1回目は無視し、2回目のときにそこから$\oplus$**Coda**へ飛ぶ。𝄋は*D.S.*が出てくるまで無視する。*D.S.*が出てきたら𝄋から繰り返す。

✎ TEST

[問題１]

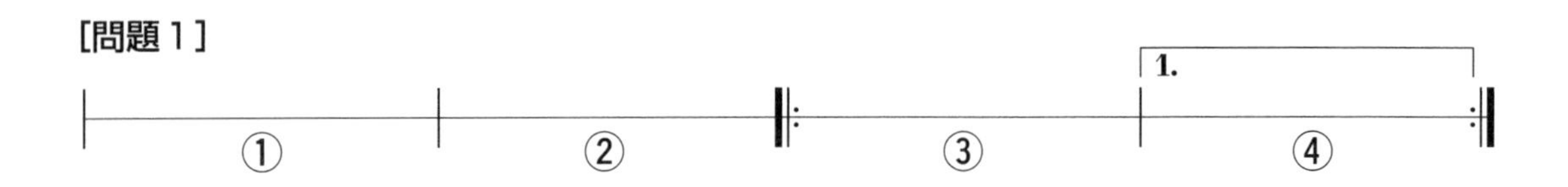

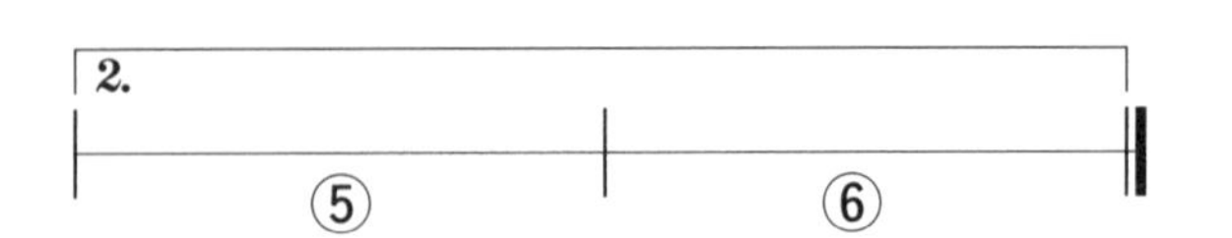

[問題2]

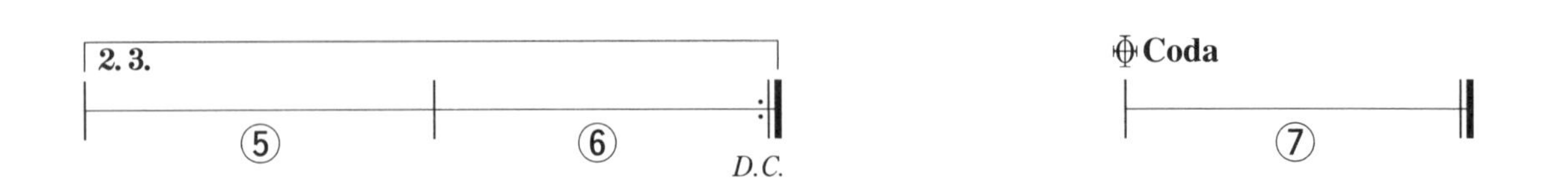

[問題3]

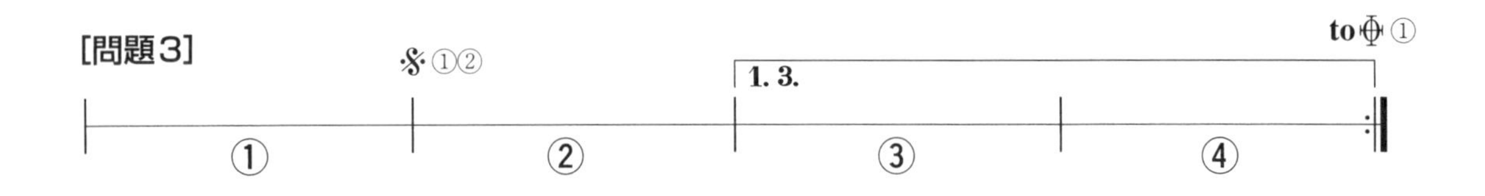

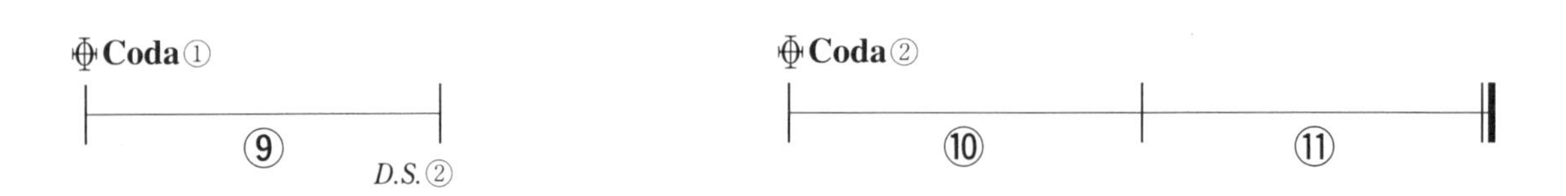

答え
[問題1]：①→②→③→④→③→⑤→⑥
[問題2]：①→②→③→④→①→②→③→⑤→⑥→①→②→③→⑤→⑥→①→②→③→⑦
[問題3]：①→②→③→④→①→②→⑤→⑥→⑦→⑧→②→③→④→⑨→②→⑤→⑥→⑦→⑩→⑪

挫折しないコード実践編

チェリー

スピッツ

作詞／作曲：草野正宗

C	G	Am	F	Em	G/B	Em/G	B♭

崖の上のポニョ

藤岡藤巻と大橋のぞみ

作詞：近藤勝也／補作詞：宮崎駿
作曲：久石譲

Original Key : F

G	C	D7	Em	A7	Cm	Bm	Am7

負けないで

ZARD

作詞：坂井泉水　作曲：織田哲郎

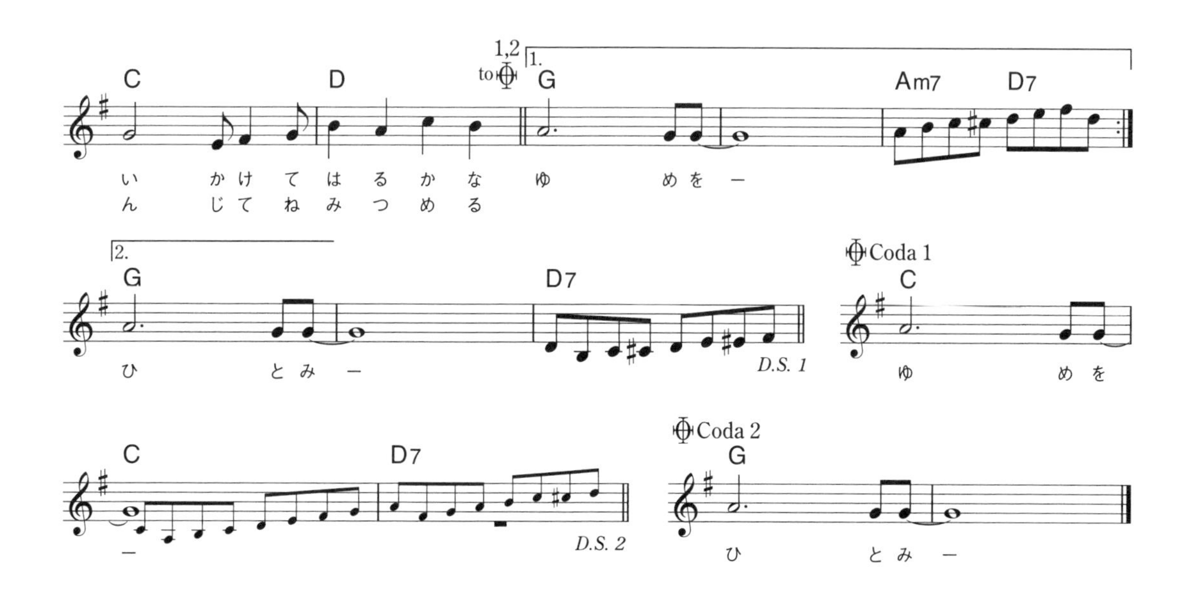

G	D	Em	Bm7	C
Am7	D7	B7	A7	C△7

3月9日

レミオロメン

作詞／作曲：藤巻亮太

C	Em	F	G	Am	Dm7	Fm

三日月

絢香

作詞：絢香　作曲：西尾芳彦／絢香

2.
GΔ7 A A CΔ7 Bm7
なるからねっ てー
こんどいーつ あーえるん ーだろ ーう
CΔ7 Bm7 GΔ7 A Bm7
それ まーで のーでん ーちはー
だきし めながらーいったあ な たのーー あい
Em7 A
してるーのひとこと ーーーー ー ー
D.S.
Coda
A
てるからねっ てー みか
Bm7 GΔ7 Bm7 GΔ7
づ きーにー てをのば ーしたー
きみに と どーけー このおもいーーーー

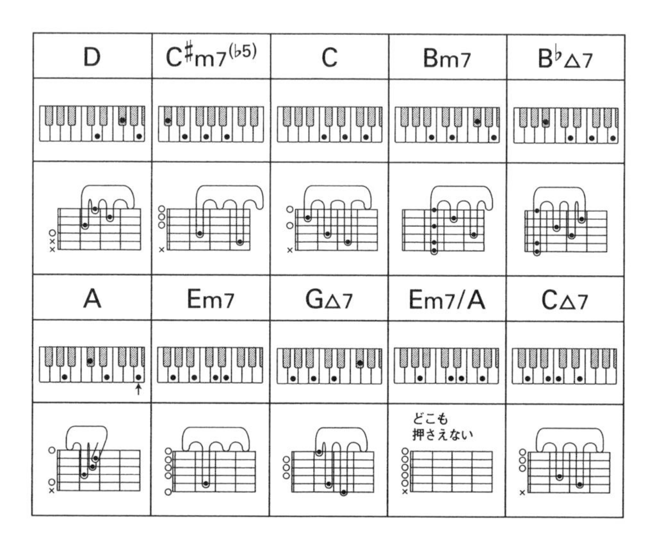

D
C♯m7(♭5)
C
Bm7
B♭Δ7
A
Em7
GΔ7
Em7/A
CΔ7
どこも
押さえない

残酷な天使のテーゼ

アニメ「新世紀エヴァンゲリオン」

作詞：及川眠子　作曲：佐藤英敏

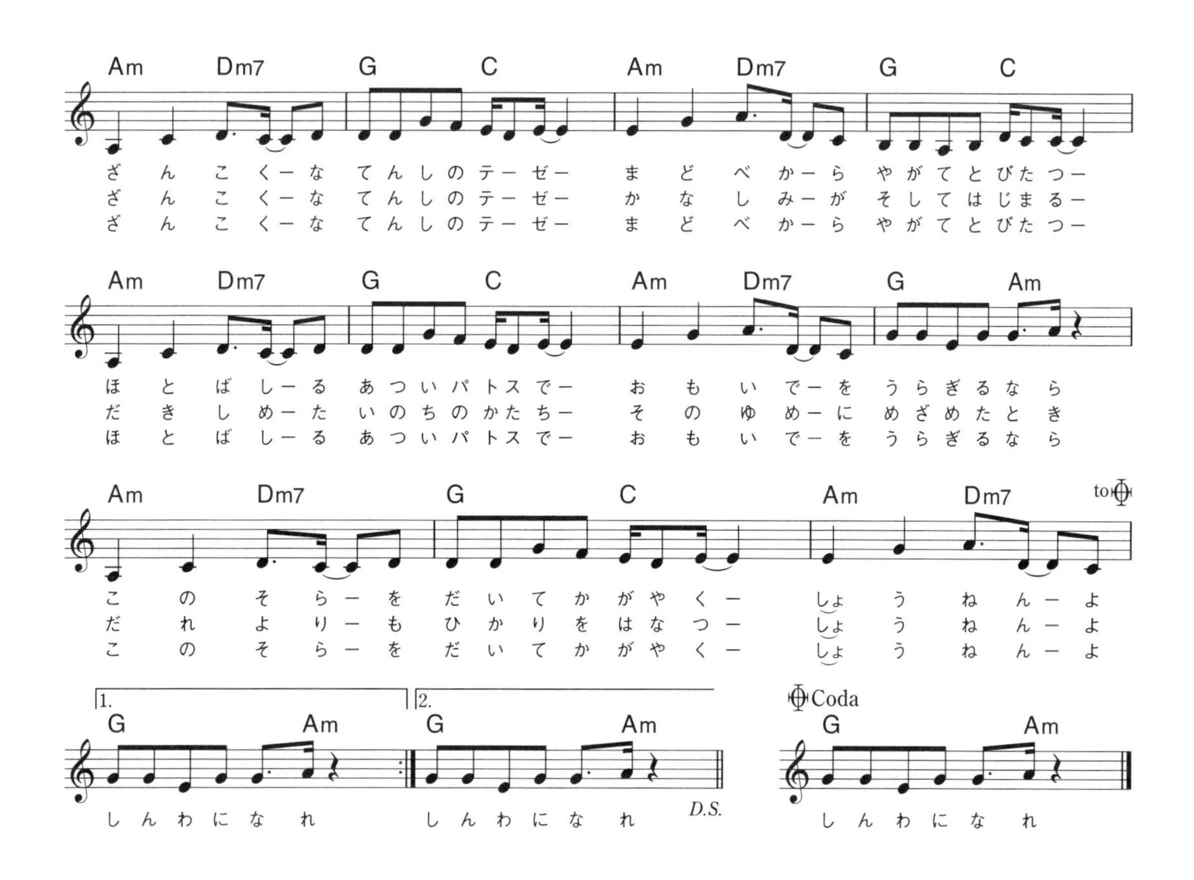

Am	Dm7	G	C	F△7	Bm7	E7	Em7

となりのトトロ
映画「となりのトトロ」
作詞：宮崎駿　作曲：久石譲
ト　トロ－ト　ト　－ロ
ト　トロ－ト　ト　－ロ－
だ　れ　かが　－
こ　っ　そり　－
こ　み　ち　にこ
あ　め　ふり　－
バ　ス　てい　－
ズ　ブ　ヌ　レオ
－　の　み　う　ず　めて
－　バ　ケ　が　い　たら
ちっ　さ　なめ　－
あ　な　たの　－
は　え　たら　－
ひみつのあんごう　－
もりへ　の　パ　スポート
あ　ま　ガサ　－
さして－あげましょ　－
もりへ　の　パ　スポート
－　す　て　き　なぼ　－うけん　はじまる　－　－　となりの
－　ま　ほ　う　のと　－びら　あきます　－　－　となりの
(𝄋)ト　トロ－ト　ト　－ロ－　ト　トロ－ト　ト　－ロ－
ト　トロ－ト　ト　－ロ－　ト　トロ－ト　ト　－ロ－
も　り　の　な　かに－　むかしからすんでる　－　となりの
つ　き　よ　のばんに－　オカリナふ－いてる　－　となりの

F	C7	Dm	B♭	Am7	Gm7	C	B♭m	D7

涙そうそう

夏川りみ

作詞：森山良子　作曲：BEGIN

D	A	G	D♯dim	Em7	A7	D7	F♯m7	B7
			or					

TSUNAMI

サザンオールスターズ

作詞／作曲：桑田佳祐

D F♯7 Bm7 D
あ え た と き か ら ま ほ う が と け な ー ー い か
こ ろ も い と し い ひ と し か み え な ー ー い は
あ え た と き か ら し ぬ ま で す き と いっ ー て か
G A7 F♯7 Bm7 G F♯m7 Em7
1,2 to Φ
が み の よ ー う ー な ゆ め の な ー か で ー お も い で は ー い つ の ひ も ー あ
り さ け そ ー う ー な む ね の お ー く で ー か な し み に ー た え る の は ー な
が み の よ ー う ー な ゆ め の な ー か で ー ほ ほ え み を ー く れ た の は ー だ
D A7
D.S. 1
め ゆ め が お わ
Φ Coda 1
D A7
D.S. 2
ぜ み つ め
Φ Coda 2
D G F♯m7 Em7 D
れ す き な の に ー な い た の は ー な ぜ お
G F♯m7 Em7 D
も い で は ー い つ の ひ も ー あ め

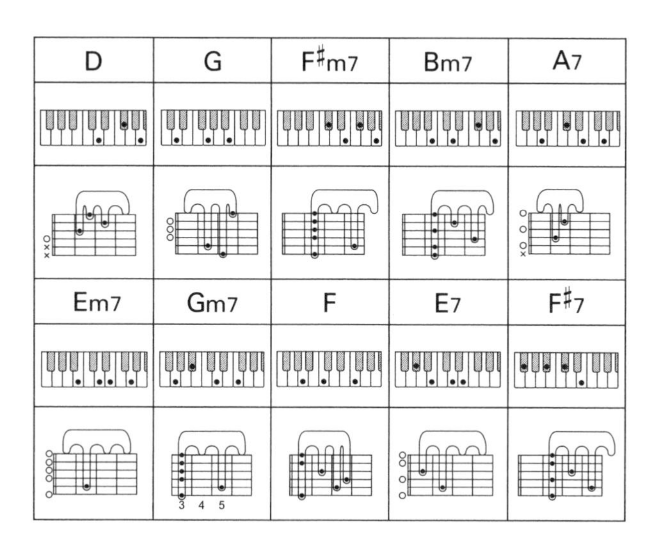
D
G
F♯m7
Bm7
A7
Em7
Gm7
F
E7
F♯7
3 4 5

YELL

いきものがかり

作詞／作曲：水野良樹

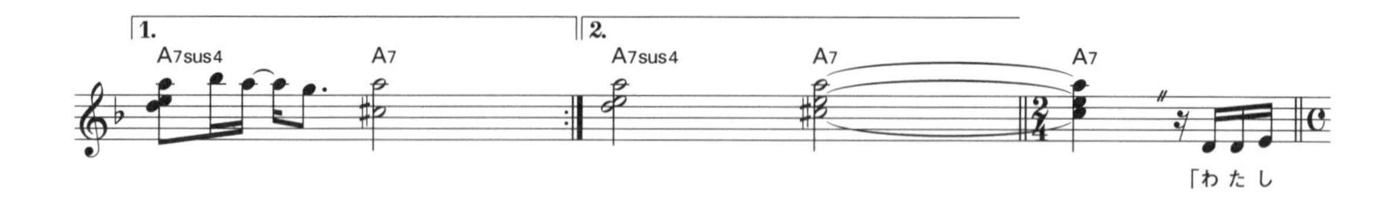

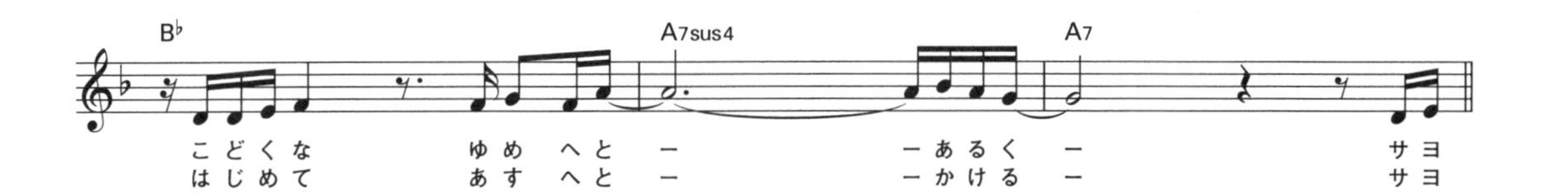
B♭
A7sus4
A7
こ ど く な　ゆ め へ と ー　ー あ る く ー　サ ヨ
は じ め て　あ す へ と ー　ー か け る ー　サ ヨ

①②
Dm
Gm7
C7
F
C
Dm
Gm7
ナ ラは ー か な ー し い ー こ と ー ば じゃ ー な い ー　そ れ ぞ れ の ー ゆ め ー へ と ぼ く ら
ナ ラを ー だ れ ー か に ー つ げ ー る た ー び に ー　ぼ く ら ま た ー か わ ー れ る つ よ く
ナ ラは ー か な ー し い ー こ と ー ば じゃ ー な い ー　そ れ ぞ れ の ー ゆ め ー へ と ぼ く ら
(ー)ら が わ ー か ち ー あ う ー こ と ー ば が ー あ る ー　こ こ ろ か ら ー こ こ ー ろ へ こ え を

C
A7
Dm
Gm7
C7
F
C
ー を つ な ぐ YELL＿＿ と も に ー す ご ー し た ー ひ び ー を む ね に だ ー い て ー　と び
ー な ー れ る か ー な た と え ー ち が ー う そ ー ら へ ー と び ー た とう ー と も ー　と だ
ー を つ な ぐ YELL＿＿ い つ か ー ま た ー め ぐ ー り あう ー そ の ー と き ー ま で ー　わ す
ー つ ー な ぐ YELL＿＿ と も に ー す ご ー し た ー ひ び ー を む ね に だ ー い て ー　と び

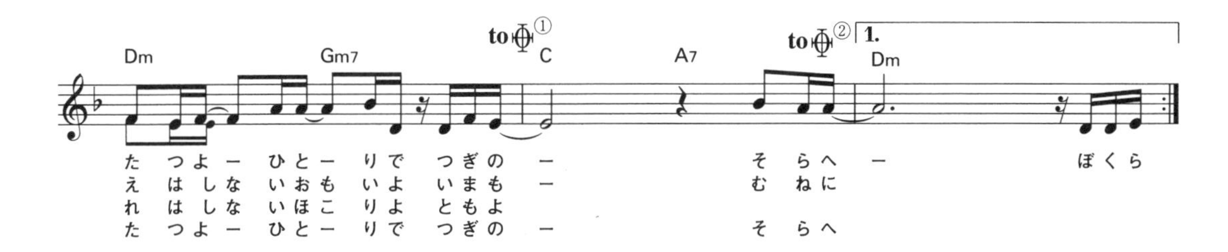
to ①
to ②
1.
Dm
Gm7
C
A7
Dm
た つ よ ー ひ と ー り で つ ぎ の ー　そ ら へ ー　ぼ く ら
え は し な い お も い よ い ま も ー　む ね に
れ は し な い ほ こ り よ と も よ
た つ よ ー ひ と ー り で つ ぎ の ー　そ ら へ

2.
Dm
B♭
ー　え い えん な ど な い と ー　わ ら い あっ た あ の ひ も ー
(き づ い た と き か ら ー　う た い あっ た あ

F
B♭
つ よ く む ね に き ざ ま れ て い く　だ か ら こ そ あ な た は ー
の ひ も ふ か く き ざ ま れ て い く)　(だ か ら こ そ ぼ

B♭
F
ほ か の だ れ で も な い ー こ え を “わ た し” を い き て ゆ く よ と や
く ら は ー だ れ に も ま け な い あ げ て い き て ゆ く よ と)

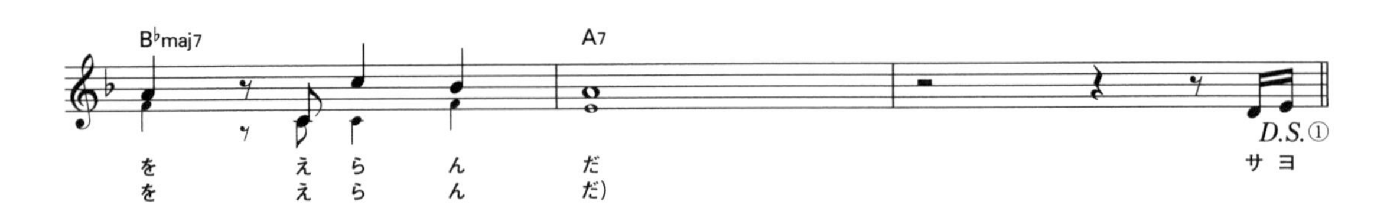

Dm	Am	B♭	F	A7sus4
A7	Gm7	B♭M7	C7	C

キセキ

GReeeeN

作詞／作曲：GReeeeN

F G C Am Em F G C
2,4x
1,2 to Φ
っていたーくてー アリガトウ や Ah あいしてるじゃ ま だ たりないけ
られるーからー ぼくはきみ で な ら ぼくでいれる か ら だからいつ
わけあーえるー きみがいる か ら いきてゆける か ら だからいつ
1.
2.
Am Em F G C Am Em
どせめていわせーてしあわせですとー いつ も そばにいてーよいと
F G F C
しいきみへ ー
ふたりフザけあったかえりみち それもたいせつなぼくらのひび お
G Am F
もいよとどけとつたえたときに はじめてみせたひょうじょうのきみ すこしまがあいてきみがうなずいてぼ
C G
くらのこころみたされてくあいで ぼくらまだたびのとちゅうで またこれからさきもなんじゅうねん つ
A♭ G F Am Em F G C Am Em
づいていけるようなみらいへ ー
F G C Am Em F G C
たとえばほらー あしたをみうー しない そうに
Am N.C.
ーぼくらなっーたとーしても
ふ
D.S. 1
Φ Coda 1
Am Em F G A♭ B♭
どせめていわせーてしあわせですとー う
D.S. 2

C	Am	F	G	Fm
Caug	Dm	Em	A♭	B♭

カイト

嵐

作詞／作曲：米津玄師

Original Key = E　Capo : 4 Play : C

F G Am Dm C F Esus4
のたびにやまないゆめと そらのあおさをしっていく
さいなきずにやどるもの きこえてくるどこからか

Esus4 A E F♯m C♯m
かぜがふけば うたがながれるー くちずさも

D E F♯m C♯m D E
うかなたへむけてー きみのゆめよ かなえとねがう

F♯m C♯m D E to A A G
1.
ー あふれだすー ラルー ラリ ーラー

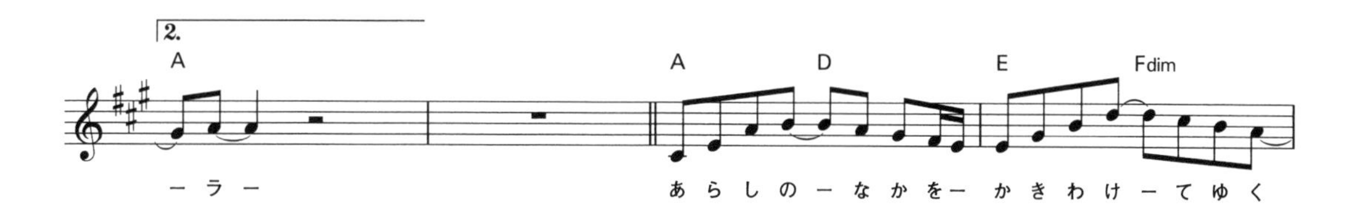
2.
A A D E Fdim
ーラー あらしのーなかをー かきわけーてゆく

F♯m D E A A D
ー ちいさなカイトよ かなしみをーこえてー

E Fdim F♯m Bm7 D E F♯m A
どこまでーもゆこう そしてかえろう そのいと

C	F	G	Am	E7	G♯dim	Csus4	Dm	Esus4
A	E	F♯m	C♯m	D	Fdim	Bm7		
		2 3 4	4 5 6		3 4 5	2 3 4		

Lemon

米津玄師

作詞／作曲：米津玄師

Original Key : G♯m　Capo : 4 Play : Em

C G F♯m7(−5) B7 Em Am7 Em
to Φ②
こり はな れな いにがい レモン のに おい あめ が ふ り や む ま で は
こと など どう かーわす れ て くだ さい そん な こ とを こ こ ろか ら

C D C♯m7(−5) Am7 Em to Φ① C D G
かえ れな い いま で も あ な た は わた しの ひか り
がう ほど に いま で も あ な た は わた

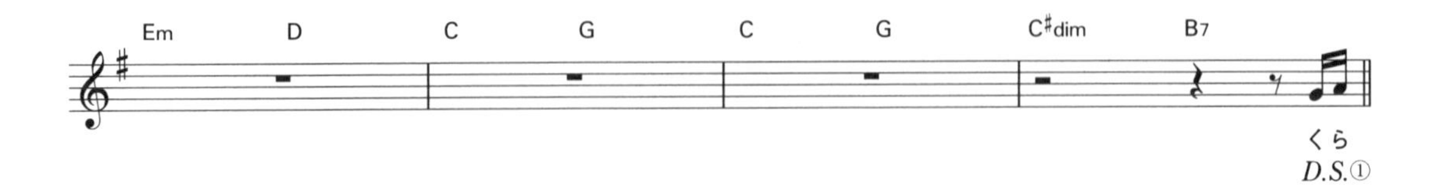

Em D C G C G C♯dim B7
くら
D.S.①

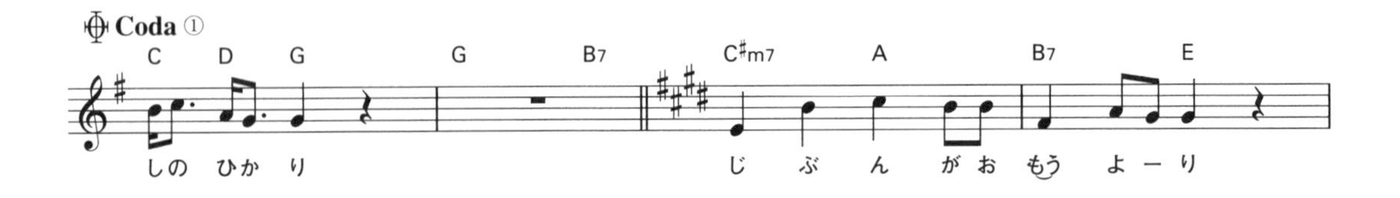

Φ Coda ①
C D G G B7 C♯m7 A B7 E
しの ひか り じ ぶ ん が お もう よ ー り

A E B7 E C♯m7 A
こい を してい た あ な た に あ れ か ら お

B7 E A E B7 E
もう よ う に い き が で き な い あんな

C♯m7 A B7 E A E
に そ ば に い た の ー に ま る で う

Em	D	C	G	A♯dim	B7	Am7	F♯m7(−5)	C♯m7(−5)

C♯dim	C♯m7	A	E	Am

明け星

LiSA

作詞／作曲：梶浦由記

Original Key = Cm Capo : 1 Play : Bm

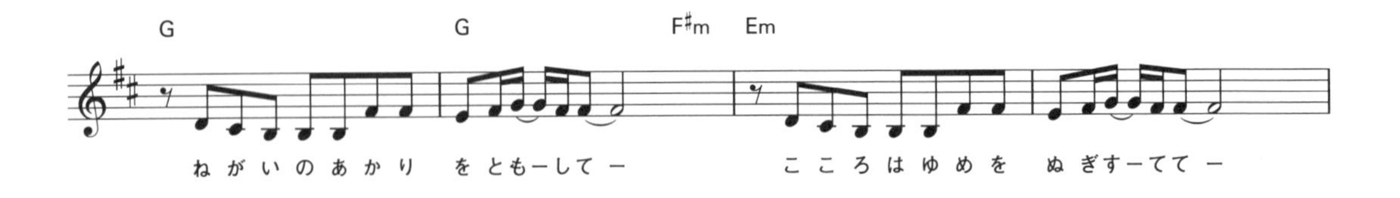

F Gm C F Dm Gm A7
いのちは あかる いほうへてをのば すから ひかり をいのりそらたか

Dm Dm/C G7/B Em7(−5) A7 B♭△7 B♭ A7 Gm A7
く うたごえ せめて きみに とどく ように ー

Bm Bm
しんじつ は かちの こったあーとにー だ

Bm
れかがおいて ゆくーもの ー どうもう な けもの がよびーあうー せ

G A Em F♯m Bm
かいはきずを かさーね ちのいろにぬれた ーーー

Bm Bm
とお ぼ えがー つ きをおーとすー とこ

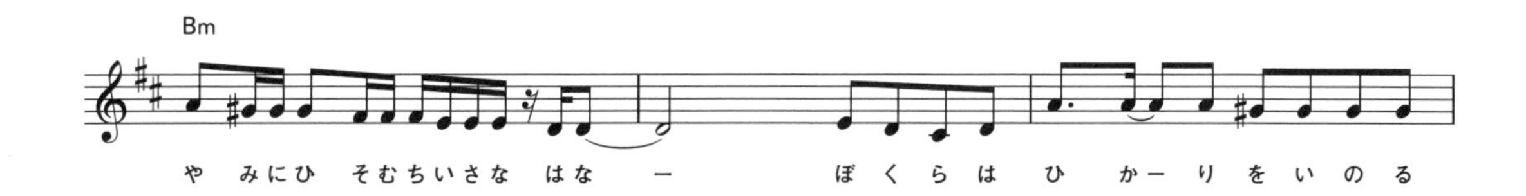
Bm
や みにひ そむちいさな はな ー ぼくらは ひ かーりをいのる

Bm G A
て のひーらでー ほろ ぼ しあっーたりー き み をー だきしめーた

Bm
り ー

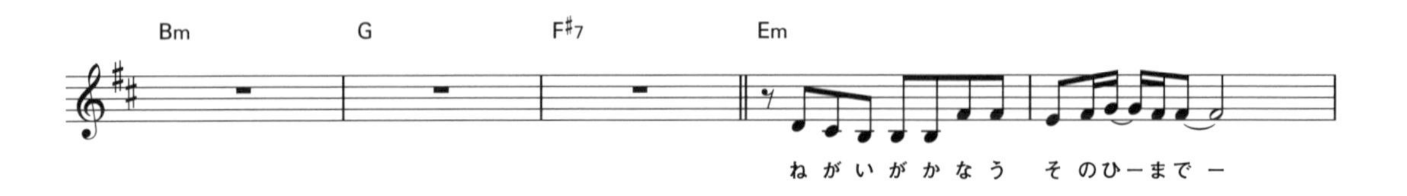
Bm G F♯7 Em
ねがいがかなう そのひーまでー

Em G
まだくれないに そまらーないー

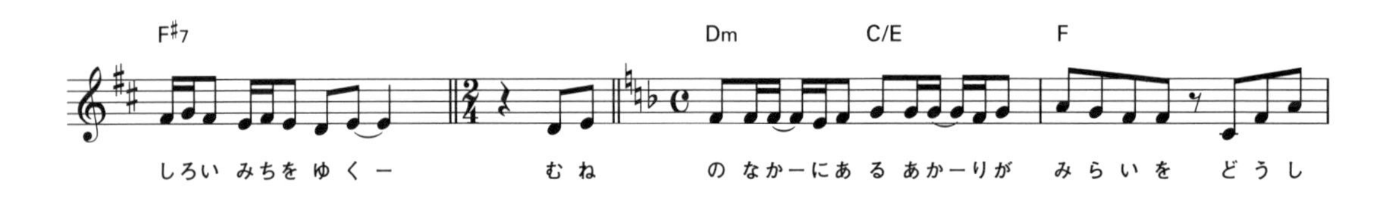
F♯7 Dm C/E F
しろい みちをゆくー むね のなかーにあるあかーりが みらいを どうし

Gm A7 Dm C B♭ A7 Dm Dm/C G7/B
てもさしてきえな い んだ つめた くふかくとざした こころにもー ちい

B♭ Gm A7 Dm C
さ くつーよくー かが や きつー づ け てる お もいーでよ か なしーみよ

Bm	G	A	F♯m	Em	F♯7	Dm	C/E	F
Gm	A7	C	B♭	Dm/C	G7/B	Em7(−5)	B♭△7	

恋

星野 源

作詞／作曲：星野 源

C D7 Am7 D7
このよにいるだれもふたりからー
あいがうまれるのはひとりからー

G Bm7 Em C△7 Bm7 Am7 D7
むねのなかにあるもの いつかみえなくなるもの

G Bm7 Em C△7 D7
それはそばにいること いーつもおもーいだして

G Bm7 Em C△7 Bm7 Am7 D7
きみのなかにあるもの きょりのなかにあるこどう

G Bm7 Em Am7 G
こいをしたのあなたの ゆーびのまざり ほーほのかおり ふ

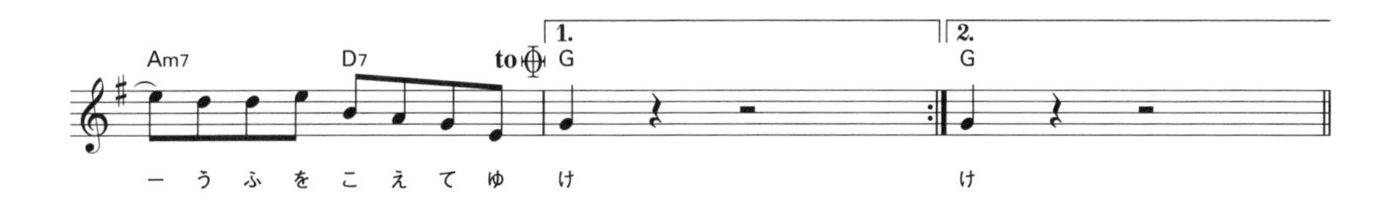
Am7 D7 to⊕ 1. G 2. G
ーうふをこえてゆけ け

G Dm7 G7 C△7 F♯m7(−5)
なきがーおーもー だまるよーるーーも

G	B7	Em	C	Am7	D7	Bm7	C△7	Dm7

G7	F♯m7(−5)	A7

■ダイアトニック・コード一覧表

■メジャーダイアトニック・コード表

グループ / Key	I△7 トニックグループ (T)	IIm7 サブドミナントグループ (S)	IIIm7 トニックグループ (T)	IV△7 サブドミナントグループ (S)	V7 ドミナントグループ (D)	VIm7 トニックグループ (T)	VIIm7$^{(\flat 5)}$ ドミナントグループ (D)
C	C△7	Dm7	Em7	F△7	G7	Am7	Bm7$^{(\flat 5)}$
C♯	C♯△7	D♯m7	Fm7	F♯△7	G7♯	A♯m7	Cm7$^{(\flat 5)}$
D	D△7	Em7	F♯m7	G△7	A7	Bm7	C♯m7$^{(\flat 5)}$
D♯	D♯△7	Fm7	Gm7	G♯△7	A♯7	Cm7	Dm7$^{(\flat 5)}$
E	E△7	F♯m7	G♯m7	A△7	B7	C♯m7	D♯m7$^{(\flat 5)}$
F	F△7	Gm7	Am7	A♯△7	C7	Dm7	Em7$^{(\flat 5)}$
F♯	F♯△7	G♯m7	A♯m7	B△7	C♯7	D♯m7	Fm7$^{(\flat 5)}$
G	G△7	Am7	Bm7	C△7	D7	Em7	F♯m7$^{(\flat 5)}$
G♯	G♯△7	A♯m7	Cm7	C♯△7	D♯7	Fm7	Gm7$^{(\flat 5)}$
A	A△7	Bm7	C♯m7	D△7	E7	F♯m7	G♯m7$^{(\flat 5)}$
A♯	A♯△7	Cm7	Dm7	D♯△7	F7	Gm7	Am7$^{(\flat 5)}$
B	B△7	C♯m7	D♯m7	E△7	F♯7	G♯m7	A♯m7$^{(\flat 5)}$

■マイナーダイアトニック・コード表

グループ / Key	Im7 トニックマイナーグループ	IIm7$^{(\flat 5)}$ サブドミナントマイナーグループ	III♭△7 トニックマイナーグループ	IVm7 サブドミナントマイナーグループ	Vm7 ドミナントマイナーグループ	VI♭△7 サブドミナントマイナーグループ	VII♭7 サブドミナントマイナーグループ
Cm	Cm7	Dm7$^{(\flat 5)}$	E♭△7	Fm7	Gm7	A♭△7	B♭7
D♭m	D♭m7	E♭m7$^{(\flat 5)}$	E△7	G♭m7	A♭m7	A△7	B7
Dm	Dm7	Em7$^{(\flat 5)}$	F△7	Gm7	Am7	B♭△7	C7
E♭m	E♭m7	Fm7$^{(\flat 5)}$	G♭△7	A♭m7	B♭m7	B△7	D♭7
Em	Em7	G♭m7$^{(\flat 5)}$	G△7	Am7	Bm7	C△7	D7
Fm	Fm7	Gm7$^{(\flat 5)}$	A♭△7	B♭m7	Cm7	D♭△7	E♭7
G♭m	G♭m7	A♭m7$^{(\flat 5)}$	A△7	Bm7	D♭m7	D△7	E7
Gm	Gm7	Am7$^{(\flat 5)}$	B♭△7	Cm7	Dm7	E♭△7	F7
A♭m	A♭m7	B♭m7$^{(\flat 5)}$	B△7	D♭m7	E♭m7	E△7	G♭7
Am	Am7	Bm7$^{(\flat 5)}$	C△7	Dm7	Em7	F△7	G7
B♭m	B♭m7	Cm7$^{(\flat 5)}$	D♭△7	E♭m7	Fm7	G♭△7	A♭7
Bm	Bm7	C♯m7$^{(\flat 5)}$	D△7	Em7	G♭m7	G△7	A7

■ギター・コード一覧表

	メジャー (○)	マイナー (○m)	セブンス (○7)	マイナーセブンス (○m7)	メジャーセブンス (○M7)	マイナーメジャーセブンス (○mM7)	オーギュメント (○aug)
C	C	Cm	C7	Cm7	CM7	CmM7	Caug
C#/D♭	C#/D♭	C#m/D♭m	C#7/D♭7	C#m7/D♭m7	C#M7/D♭M7	C#mM7/D♭mM7	C#aug/D♭aug
D	D	Dm	D7	Dm7	DM7	DmM7	Daug
D#/E♭	D#/E♭	D#m/E♭m	D#7/E♭7	D#m7/E♭m7	D#M7/E♭M7	D#mM7/E♭mM7	D#aug/E♭aug
E	E	Em	E7	Em7	EM7	EmM7	Eaug
F	F	Fm	F7	Fm7	FM7	FmM7	Faug
F#/G♭	F#/G♭	F#m/G♭m	F#7/G♭7	F#m7/G♭m7	F#M7/G♭M7	F#mM7/G♭mM7	F#aug/G♭aug
G	G	Gm	G7	Gm7	GM7	GmM7	Gaug
G#/A♭	G#/A♭	G#m/A♭m	G#7/A♭7	G#m7/A♭m7	G#M7/A♭M7	G#/A♭	G#aug/A♭aug
A	A	Am	A7	Am7	AM7	AmM7	Aaug
A#/B♭	A#/B♭	A#m/B♭m	A#7/B♭7	A#m7/B♭m7	A#M7/B♭M7	A#mM7/B♭mM7	A#aug/B♭aug
B	B	Bm	B7	Bm7	BM7	BmM7	Baug

	ディミニッシュ (○dim)	マイナーセブンフラットファイブ (○m7(♭5))	メジャーセブンスシャープファイブ (○M7(♯5))	シックス (○6)	マイナーシックス (○m6)	サスフォー (○sus4)	アドナインス (○add9)
C	Cdim	Cm7(♭5)	CM7(♯5)	C6	Cm6	Csus4	Cadd9
C♯/D♭	C♯dim/D♭dim	C♯m7(♭5)/D♭m7(♭5)	C♯M7(♯5)/D♭M7(♯5)	C♯6/D♭6	C♯m6/D♭m6	C♯sus4/D♭sus4	C♯add9/D♭add9
D	Ddim	Dm7(♭5)	DM7(♯5)	D6	Dm6	Dsus4	Dadd9
D♯/E♭	D♯dim/E♭dim	D♯m7(♭5)/E♭m7(♭5)	D♯M7(♯5)/E♭M7(♯5)	D♯6/E♭6	D♯m6/E♭m6	D♯sus4/E♭sus4	D♯add9/E♭add9
E	Edim	Em7(♭5)	EM7(♯5)	E6	Em6	Esus4	Eadd9
F	Fdim	Fm7(♭5)	FM7(♯5)	F6	Fm6	Fsus4	Fadd9
F♯/G♭	F♯dim/G♭dim	F♯m7(♭5)/G♭m7(♭5)	F♯M7(♯5)/G♭M7(♯5)	F♯6/G♭6	F♯m6/G♭m6	F♯sus4/G♭sus4	F♯add9/G♭add9
G	Gdim	Gm7(♭5)	GM7(♯5)	G6	Gm6	Gsus4	Gadd9
G♯/A♭	G♯dim/A♭dim	G♯m7(♭5)/A♭m7(♭5)	G♯M7(♯5)/A♭M7(♯5)	G♯6/A♭6	G♯m6/A♭m6	G♯sus4/A♭sus4	G♯add9/A♭add9
A	Adim	Am7(♭5)	AM7(♯5)	A6	Am6	Asus4	Aadd9
A♯/B♭	A♯dim/B♭dim	A♯m7(♭5)/B♭m7(♭5)	A♯M7(♯5)/B♭M7(♯5)	A♯6/B♭6	A♯m6/B♭m6	A♯sus4/B♭sus4	A♯add9/B♭add9
B	Bdim	Bm7(♭5)	BM7(♯5)	B6	Bm6	Bsus4	Badd9

■ピアノ・コード一覧表

	メジャー (○)	メジャーセブンス (○M7)	セブンス (○7)	シックス (○6)	マイナー (○m)	マイナーメジャーセブンス (○mM7)	マイナーセブンス (○m7)
C	C	CM7	C7	C6	Cm	CmM7	Cm7
C♯/D♭	C♯/D♭	C♯M7/D♭M7	C♯7/D♭7	C♯6/D♭6	C♯m/D♭m	C♯mM7/D♭mM7	C♯m7/D♭m7
D	D	DM7	D7	D6	Dm	DmM7	Dm7
D♯/E♭	D♯/E♭	D♯M7/E♭M7	D♯7/E♭7	D♯6/E♭6	D♯m/E♭m	D♯mM7/E♭mM7	D♯m7/E♭m7
E	E	EM7	E7	E6	Em	EmM7	Em7
F	F	FM7	F7	F6	Fm	FmM7	Fm7
F♯/G♭	F♯/G♭	F♯M7/G♭M7	F♯7/G♭7	F♯6/G♭6	F♯m/G♭m	F♯mM7/G♭mM7	F♯m7/G♭m7
G	G	GM7	G7	G6	Gm	GmM7	Gm7
G♯/A♭	G♯/A♭	G♯M7/A♭M7	G♯7/A♭7	G♯6/A♭6	G♯m/A♭m	G♯/A♭	G♯m7/A♭m7
A	A	AM7	A7	A6	Am	AmM7	Am7
A♯/B♭	A♯/B♭	A♯M7/B♭M7	A♯7/B♭7	A♯6/B♭6	A♯m/B♭m	A♯mM7/B♭mM7	A♯m7/B♭m7
B	B	BM7	B7	B6	Bm	BmM7	Bm7

	マイナーシックス (○m6)	サスフォー (○sus4)	ディミニッシュ (○dim)	オーギュメント (○aug)	マイナーセブンフラットファイブ (○m7(♭5))	セブンナインス (○9)	アドナインス (○add9)
C	Cm6	Csus4	Cdim	Caug	Cm7(♭5)	C9	Cadd9
C♯/D♭	C♯m6/D♭m6	C♯sus4/D♭sus4	C♯dim/D♭dim	C♯aug/D♭aug	C♯m7(♭5)/D♭m7(♭5)	C♯9/D♭9	C♯add9/D♭add9
D	Dm6	Dsus4	Ddim	Daug	Dm7(♭5)	D9M9	Dadd9
D♯/E♭	D♯m6/E♭m6	D♯sus4/E♭sus4	D♯dim/E♭dim	D♯aug/E♭aug	D♯m7(♭5)/E♭m7(♭5)	D♯9/E♭9	D♯add9/E♭add9
E	Em6	Esus4	Edim	Eaug	Em7(♭5)	E9	Eadd9
F	Fm6	Fsus4	Fdim	Faug	Fm7(♭5)	F9	Fadd9
F♯/G♭	F♯m6/G♭m6	F♯sus4/G♭sus4	F♯dim/G♭dim	F♯aug/G♭aug	F♯m7(♭5)/G♭m7(♭5)	F♯9/G♭9	F♯add9/G♭add9
G	Gm6	Gsus4	Gdim	Gaug	Gm7(♭5)	G9	Gadd9
G♯/A♭	G♯m6/A♭m6	G♯sus4/A♭sus4	G♯dim/A♭dim	G♯aug/A♭aug	G♯m7(♭5)/A♭m7(♭5)	G♯9/A♭9	G♯add9/A♭add9
A	Am6	Asus4	Adim	Aaug	Am7(♭5)	A9	Aadd9
A♯/B♭	A♯m6/B♭m6	A♯sus4/B♭sus4	A♯dim/B♭dim	A♯aug/B♭aug	A♯m7(♭5)/B♭m7(♭5)	A♯9/B♭9	A♯add9/B♭add9
B	Bm6	Bsus4	Bdim	Baug	Bm7(♭5)	B9	Badd9

理論がわかる！実践で弾ける！ **挫折しないコード入門** ———— 定価（本体 1300円＋税）

編著者———— 自由現代社編集部
監修———— 奥山 清
表紙デザイン———— オングラフィクス
発行日———— 2022年2月28日
編集人———— 真崎利夫
発行人———— 竹村欣治
発売元———— 株式会社自由現代社
〒171-0033 東京都豊島区高田3-10-10-5F
TEL03-5291-6221/FAX03-5291-2886
振替口座 00110-5-45925

ホームページ———— http://www.j-gendai.co.jp

ISBN978-4-7982-2517-3